一人で思う、二人で語る、みんなで考える

——実践！ ロジコミ・メソッド

追手門学院大学 成熟社会研究所編

岩波ジュニア新書 921

はじめに

豊かな時代にあって、将来に漠(ばく)とした不安を抱いている若い人は少なくありません。

成長の時代は、皆のめざす目標が一緒なので、個人の考えはあまり重要でなかったように思います。しかし成熟社会にあっては、多様な選択肢の中から、一人ひとりが自分の生き方を選び取っていくことが必要になります。

ノーベル物理学賞を受けたデニス・ガボールは『成熟社会――新しい文明の選択』(1973年邦訳)に「人間は逆境にあってはすぐれているが、安全と富を得るとみじめな、目的を失った生物となりがちである」「成熟社会への変化は自然には起きない」と記しています。これから向かおうとする社会は、意志を持って創造していく必要があることを示唆(しさ)しています。

成熟社会にあって、教育は何を目指せばよいのでしょうか。知識中心だった教育を、自ら考え、社会に働きかける力にしていくのには、どのような教育が、どのような学びが必要なのでしょうか。

教える側だけでなく、学ぶ側も、自らにとっての学びの意味を問い直し、それに相応(ふさわ)しい学び方を選んでいくことが必要となっています。今はまだ、親や先生に頼ることもできますが、自分の将来は誰かが決めてくれるものではありません。学校は知識を学ぶ場であるとともに、社会に出た時の力を付ける場、予行演習の場でもあるのです。

必要になってからやればよいではないか、と思っている人もいると思います。やればできるはず、という根拠のない自信を持っている人も少なからずいるように思います。でも、簡単に答えの出ない課題に向き合うのは楽なことではありません。いざという時に力を発揮するためには、日頃の練習が大事です。そろそろやる気を出して、半歩前に踏み出しませんか。自分から手を伸ばさなければ、役に立つ知恵やコツは身に付きません。

✼これからの学び

教育の現場では、社会に出て実際に使える力を付けるために**アクティブ・ラーニング**という授業が取り入れられています。2015 年の文部科学省中央教育審議会教育課程企画特別部会の論点整理では、アクティブ・ラーニングは「課題の発見・解決に向けた主体的・協働的な学び」となっています。教えられるのではなく、自ら学ぶことに着目した教育のスタイルです。2020 年には義務教育で始まり、順次、大学まで導入されることが決まっています。

すでに導入している学校も多いのですが、新しい授業スタイルに戸惑(とまど)っている人もいると思います。「何のためにアクティブ・ラーニングをやらなければいけないのですか」と、学生に聞かれたことがあります。アクティブ・ラーニングでグループワークをする時も、学生は決まった友達と一緒のことが多く、新しい関係を結ぶのは不得意です。情報収集が必要になっても、どう集めて整理するかを知らない学生がいます。プレゼン(プレゼンテーション)の時も、ずっと原稿から目を離せない学生も珍しくありません。実際の場面では、期待される「課題の発見・解決に向けた主体的・協働的な学び」に多くのハードルがあることが見えてきました。

学生だけでなく、実は講義スタイルに慣れた大学教員にとってもアクティブ・ラーニングは未知の領域なので悩みは尽きません。講義型の授業では、学生が理解しているかどうかは気になりますが、基本的に主導権は教員にあるので、こちらのペースで進められます。しかし、アクティブ・ラーニングの主体は学生で、教員は、指導はしますが、教えるというより**ファシリテーター**(進行役)のような存在です。上手にリードし、進行するためには学生の状況に対する深い理解が必要になります。何に躓(つまず)いているのか、問題は何なのか、チームとしての問題はないのか。様々なことを考えながら進めることになります。

✻ロジコミ・メソッド

アクティブ・ラーニングを進めていく過程には、考えなければいけないことがたくさんあります。まず自分で考える時、人と話し合う時、情報収集し整理する時、取捨選択して結論を導きだす時、結果を形にする時、人に説明する時などです。教えられることに慣れた学生は、自分で何かをするための方法論を持っていません。正直に言えば「こんなことも知らないのか」と最初は戸惑いました。多くの失敗を経験した後、学生が知らないということを責めるのではなく、その事実を共有すればよいのではないか、という思いに至りました。それを形にしたのが、人に伝えるためのツールやコツを集めた「ロジコミ・メソッド(ロジカルコミュニケーション・メソッド)」です。ロジカルコミュニケーションとは、話したいこと、わかってもらいたいことを、論理的に整理して、筋道を立てて、相手が理解しやすいようにして伝えることです。

この本では、思考ツールの紹介だけでなく、なぜ、どうして、という理屈の部分を中心にまとめています。便利なツールも、理解して使わなければ、身に付かないからです。面倒でも、その部分をしっかり読んでほしいと思います。

ロジコミ・メソッドはアクティブ・ラーニングのためのものというだけではありません。社会人になってからも使える知恵やコツやツールを紹介しています。書店の自己啓発やマーケティングの棚にはたくさんのロジカルシンキングやコミュニケーションスキルに関する本が並んでいます。企業人向けのスキルアップセミナーも盛んに行われています。でも、この本ではプロのスキルではなく、生きていくために必要な最低限のものに留めています。大事なのは、テクニックではなく、自分を見つめ、人を気づかい、わかりやすい言葉で、人とつながることだと思っているからです。

高校や大学の授業や課外活動で気軽に使えるように、実際の場面を想定して組み立てています。そもそも習ったことのある内容がほとんどなので、気楽に、楽しく使いながら、知恵を付け、コツをつかむことができると思います。ロジコミ・メソッドでは教員自身がこれまで学んできたことや、生活や仕事の中で身に付けた知恵やコツを整理しまとめました。実践の場で学生の意見を聞き、修正したところがたくさんあります。気付いたことは書き込んで、自分流に使ってください。

１章では、新しい学びがなぜ必要なのか、人とのコミュニケーションの仕方や、論理的に思考するとはどんなことかを、今更(いまさら)ですが、おさらいをしています。

２章では、この本を使う場面をショートストーリーとして紹介しています。５つの場面で、実際どのように使うのか、使えるのか、ということを確認してください。等身大のあなたがそこにいます。

３章が、この本の大事な、コミュニケーションと論理的に考えるためのツールを提示したロジコミ・メソッドの本体部分です。一度読んで何があるかをチェックしておくと、いざという時に慌(あわ)てずに済みます。そして実際に必要が生じた時には関連のページを開いて、試してみましょう。組み合わせて、また自分流にアレンジをして使えば、いつのまにか知恵がつき、コツがつかめているはずです。

４章では、日本、アメリカ、イギリスの少々尖(とが)った事例について紹介しました。学び合いは学校だけでなく、いろいろなところで行われています。大人になっても人はずっと学び続けています。そこには学びの本質があります。

５章の「ロジコミ小事典」では、実際に使う時のコミュニケーションの「コツのコツ」を大公開です。「思考のツール」は論理的思考のためのツールが、応用の部分でどのように使えるかを解説しています。上手く使いこなせば楽しく、創造的なグループワークが実践できます。

アクティブ・ラーニングを学ぶ単独の科目があるわけではありません。これができれば良い、という定型的なカリキュラムもありません。答えを簡単に出すことができない社会に必要とされる学び方なので、そもそも全員が一致するような正解はないことが前提です。あなたにとっての正解は、やる気になり、学びのスイッチを入れたあなた自身が試行錯誤して見つけてください。

目　次

アクティブ・ラーニングで学ぶ

より良い社会の構築のために、すべての人が存分に力を発揮できる社会であってほしいと思います。特に若い人たちには、孤独になることを厭(いと)わず、対話の中で異なる考え方に触れ、仲間と新しいものを生み出す面白さに目覚め、前向きに頑張ってほしい。一人ではできなくても、遅々として進まなくても、仲間が集まり、多様な人たちを巻き込めば、あるべき姿に近づくことができるはずです。

受け身だった学びを、主体的で、能動的な学びに変えようとするアクティブ・ラーニングの導入には、そんな思いが詰まっています。自分を見つめること、他人を理解すること、人とつながること、社会とつながること、起点はすべて自分にあります。

アクティブ・ラーニングは、これからの社会を、自分の意志で生きていくための貴重なレッスンの時間です。充実した時間になるように、その意味を少しだけ解説しておきたいと思います。

①

みんなにとってのアクティブ・ラーニング

✻アクティブ・ラーニングは悩ましい

「アクティブ・ラーニングなんて面倒。普通の講義型の授業の方が効率よく、大事なことが勉強できる」
「グループワークは気を使うし、自分一人でやる方が圧倒的に楽で結果だっていい」
「誰も協力してくれず、結局一人で全部やった」

今、この本を手に取ったあなたも、そんなことを感じている一人かもしれません。アクティブ・ラーニングに積極的に関わっている学生たちからもそんな声を聞きました。その通りです。効率よくできる勉強と違って、手(て)間暇(まひま)かけて、遠回りをして学ぶのが、能動的学習(のうどうてきがくしゅう)と言われるアクティブ・ラーニングなのです。プロセスに意味がある学び方なので、結果はすぐには見えません。ペーパーテストのように定量的(ていりょうてき)に測れるものでもありません。

アクティブ・ラーニングが嫌い、という人の中には定期試験などの成績が良い学生もいます。これまでの成功体験がブレーキになっているのかもしれません。学校では先生の言ったことに真面目に取り組み、覚えれば、点数が取れました。アクティブ・ラーニングでは初対面の人や意欲のない人とチームを組むこともあります。無駄な時間のように思えて、できれば避けて通りたいと思うのも無理はありません。でも、社会に出れば、ほとんどすべての仕事は、人との関係なくしては成り立ちません。いざという時に力を発揮するには、面倒臭いと思わずに、場数を踏んでおくことが必要なのです。

実はアクティブ・ラーニングを授業に取り入れている教員の多くも、「これで本当に知識が身に付くのだろうか」「前向きに取り組む学生が少なかったけれど、何が問題だったのだろうか」と悩んでいます。去年はスムースに進み、学生の評価も良かった授業が、今年は上手くいかず、学生との関係も悪くなる、ということもあります。評価の客観性についての悩みもあります。テーマだけでなく、教員と学生、学生同士、の相性も結果に影響を及ぼします。様々な要因が絡み合った“生もの”なのです。アクティブ・ラーニングは学生だけでなく、教員にとってもハードルは相当に高いと言ってもよいでしょう。

❇なぜ、アクティブ・ラーニング？

そもそもアクティブ・ラーニングは学ぶための一つのスタイルであって、独立した科目ではありません。これまでの教員が「教える」から、学生が「学ぶ」へ転換することで、自分の頭で主体的に考え、人と話して、深めていく経験をすることをめざしています。講義型の授業ではないので、情報収集も自分ですることが必要です。

　知識はインターネットを通じて容易に手に入りますが、知識を集めることに意味があるわけではありません。**重要なのは、自ら問いをたて、知識や情報を取捨選択して、編集して、自分なりの解を見つけ出し、人にわかってもらうこと**です。

　社会は大きく変化しています。これまで正解と思っていたものが、ずっと正解とは限りません。状況は常に変わっています。先生が教えてくれたのだから間違いがない、親が良かれと思って言ってくれているのだから、従っておけば問題ない、と思うのは思考停止をしているのと同じです。

　かつて前例を守ることや年配者に従うことが求められた時代もありました。でも、今は違います。その考え方は通用しません。自分で考え、行動することが求められています。常に変化していることを意識しつつ、本質を見抜く力が必要となっているのです。

　男女共同参画などはそのいい例ですね。女性は家庭を守る人から対等に働く人に、意識は大きく変わりました。働き方も滅私奉公と言われた時代から、仕事も生活も大事にする働き方が主流になっています。社会の常識は、時代とともに大きく変化しています。その中で、自分自身が何を選び取るのか、それを決めるのはあなた自身です。
　勉強は何のためにするのか。あなたはとりあえず、学校を良い成績で卒業して、良い企業に就職するため、と思っているかもしれません。でも、学校で得た知識がそのまま役に立つ場面はほとんどありません。変化に対応できずに、失敗したとしても、誰も庇(かば)ってはくれません。

「普通の事務でいいんです」
「難しい仕事を望んでいないので、勉強は必要ないと思います」
「卒業できれば良いので、とりあえず単位ください」

　あなたもそんな一人ではありませんか。言われたことをすればそれで仕事になる。卒業さえすれば何とかなる、と思っていませんか。仕事の分野では機械化が進み、様々な分野に AI が導入されています。自動車の運転も、すでに公道での自動運転の実証実験が始まっています。少子化や高齢化で人手不足になった分、人の仕事が機械に置き換わっているのです。機械の方が、人がするよりずっと正確で、24 時間働いてくれる、という時代なのです。人がするのは「指示を守って、効率良く、間違わないようにする」から「仕組みを考え、システムを作り、アクシデントがあってもミスなく運用できるようにする」ことに変わっています。

野村総合研究所の2015年の報告書では「日本の労働人口の約49%が、技術的には人工知能等で代替可能になる」と試算されています。もちろん機械に置き換えることのできない仕事もたくさんあります。同報告書では「創造性、協調性が必要な業務や、非定型な業務は、将来においても人が担う」として、人を対象とする仕事や、創造性を必要とする仕事など、様々な職種があがっています。

仕事を例にあげましたが、個人の生活の場面でも、周囲の人と良好なコミュニケーションの取り方を学ぶことは必要です。様々な世代の人や外国人など、考え方や生活習慣の違う人が一緒に暮らす社会になっています。

多様な人たちと折り合いを付けて、気持ち良く暮らしていくためには、同質性が高く、阿吽の呼吸で暮らしていた時代とは違う、人に気を使うだけではなく、自分の意見をちゃんと主張し、互いに許容し合う能力が必要になります。口下手だから、と諦めてしまうのではなく、自分の主張を理解してもらうためには、どのように話せばよいのか、意識して、鍛えることが大事になります。

②
アクティブ・ラーニングで学ぶのは何？

✲自分の思いを紡ぐ

アクティブ・ラーニングを始める時、大事なのはあなたの思いです。テーマに対する思いや、感じていること、考えていることを、頭の中で整理しておくことはとても大切なことです。一人ひとり、それぞれの思いがなくては、アクティブ・ラーニングは始まりません。

今の時代、気になったことがあっても、スマホ（スマートフォン）で簡単に調べることができます。検索結果の上位に出てくる解説や記事を読み、わかったつもりになっていませんか。あなたの思いとは、辞書に書いてあることや、ニュースで知った情報などではありません。正しいことのように言われていることに納得して、思考を停止してしまうのではなく、「本当？」と疑ってかかることです。素朴な疑問や、日常の違和感など、少しだけ深いところにあるあなただけのものです。すぐに答えが見つからなくても、ずっと頭の隅において考え続けていると、何かの拍子に気づいたり、誰かと話している時に閃（ひらめ）く、そんなものです。

バラバラだった点が結ばれ、形が急に現れる、悩んでいたものの正体や答えがわかる、そんな感覚です。これは体験しないとわかりにくいかもしれませんが、見えなかったものが、急に形が浮き上がり、自分が考えていたのはそれだったのだと、納得します。心の中にある糸を紡(つむ)ぐようなもの、といえるかもしれません。人と話している中で、その感覚に気づくのはアクティブ・ラーニングの醍醐味(だいごみ)の一つです。

自分の思いを形にするのには、他からの刺激が必要であるように思います。本の中に自分の思いを気づかせてくれる何かがある時もあります。人の意見を聞くことも刺激になります。『知の体力』(新潮新書、2018) という著書がある細胞生物学者で歌人の永田和宏さんは「質問からすべては始まる」という章の中で、普段温厚なご自身が大爆発するのは、研究室のミーティングで質問が出なかった時である、人の話を聞いて何も思わない者に研究者の資格はない、と怒りの理由を明かしています。自分の中に思いや意見が無ければ、人の意見に対する関心は生まれないということなのでしょう。

何も考えていない人はいないかもしれませんが、みんなの前で自分の意見をしっかり言える人はそう多くはないでしょう。自分の意見など言わなくても、周囲の人が助けてくれたり、察してくれたり、そんな状況で大きくなった人も多いと思います。思っていることがあってもちゃんと伝えなければ、それは自分を蔑(ないがし)ろにしているのと同じです。

わかりやすいものとだけ付き合うのではなく、自分の中のモヤモヤとしたものを、ないものにせずに付き合っていくことです。多くの場合、わからないことなので、答えは容易には見つかりません。わからないからこそ、次の行動に結びつくとは思いませんか。

もちろんアクティブ・ラーニングをするのに必要だから、思ったり、考えたりするわけではありません。アフガニスタンで銃弾に倒れ亡くなった中村哲医師が『アフガニスタンの診療所から』(筑摩書房、1993)のあとがきに「ここには、私たちが「進歩」の名の下に、無用な知識で自分を退化させてきた生を根底から問う何ものかがあり、むきだしの人間の生き死にがあります。こうした現地から見える日本はあまりに仮構にみちています。人の生死の意味をおきざりに、その定義の議論に熱中する社会は奇怪だとすらうつります」「私たちにとっての「国際協力」とは、決して一方的に何かをしてあげることではなく、人びとと「ともに生きる」ことであり、それをとおして人間と自らをも問うものでもあります」と、安全な場所から高みの見物をしている日本人の状況を、痛烈に批判しています。知らないことではなく、むしろ知った気になってしまうことが問題だと気づかされます。知らないということを自覚し、相手のことを思いやる想像力と違いを受け入れる感受性を磨くことを大事にしたいと思います。

まとまっていなくても、説明ができなくても、自分なりの思いを持つことは、主体性を持つこと、人として自律していくための第一歩でもあるのです。

❇協同のプロセスが大事な学び

アクティブ・ラーニングですぐ思いつくのは課題解決型学習やディベート等です。テーマが決まっている場合もありますが、大枠だけ示され、後は参加者に任されていることも多いと思います。テーマ設定から、自分なりの意見を導き出すまでの一連の流れがあり、どのステージでも、コミュニケーションが重要な役割を果たします。アクティブ・ラーニングで大事なのは、結果より、むしろチームで取り組むプロセスです。

仕事の場では、一人でできることはほとんどありません。たくさんの人の協力で仕事は成り立っています。アクティブ・ラーニングのプロセスは仕事のプロセスそのものです。メンバー一人ひとりが目的を確認して、それぞれの役割を果たし、ある時は人のカバーをすることで、はじめて仕事が完結します。そのための練習だと思えば、いろいろな人と組むことに意味を見出すことができます。

飛行機の出発前のキャビンアテンダントの方たちのミーティングを見る機会がありました。メンバーは毎回変わるそうですが、安全で快適なフライトのために、情報を共有し、全員が責任を持って話し合う姿に、仕事の原点を見たと思いました。

一人でできることは知れていますが、知恵を出し合えば、大きな力になります。異質な意見を聞き、議論の中から新しいものを生み出し、一致点を見つけられれば、充実感を味わうことができます。優等生のような人ばかりのチームより、ちょっとやんちゃな人が入っている方が、面白い提案が出てくることも珍しくありません。面倒だと思っても意見を出し合うことを大事にしたいものです。

一人では難しくても、何人か集まれば、「三人寄れば文殊（もんじゅ）の知恵」で上手くいくはずなのですが、そう簡単ではありません。大学生に苦手なものを聞くと、いつもあがるのが「コミュニケーション」です。友達同士の気軽な会話は得意でも、特定のテーマで自分なりの意見を出して議論するのは難しいですね。自分の意見を言うのは大人でも勇気が必要ですから無理もありません。

そもそも授業で意見交換の時間を用意しても、議論が活発で皆が活き活きと話し合う、という場面はあまり見られません。時々目にするのが、それぞれが提案を書いた紙を集めて、集約して終わり、というやり方です。教員としてはミーティングの時間を十分に取ろうとやりくりしているのに、10 分もせずに話し合いは終わりました、というチームが出てきて、残念な気持ちになります。ミーティングの仕方も学ぶ必要がありそうです。

複数のメンバーで一つのことを進めるには、チームワークやリーダーシップなど、テーマそのものに対する知識以外のものが必要になります。誰だって、人と話すのは緊張するし、気後れもします。どうすれば打ち解けた雰囲気を作れるのかも、相手によって違います。すべての人に通用する魔法の言葉はありません。

大事なのは、相手に関心を持って、知りたいと思うことです。相手の言葉に耳を傾け、共感できるところを探してください。上から目線になったり、卑屈になったりせずに、フラットな気持ちで楽しむことができればチームでの成果も期待できます。

❊論理的な思考とは

集めた情報の整理ができずに、そのまま切り貼りしただけ、というパワーポイントを目にすることが少なくありません。最初の問題意識と結論がつながらないプレゼンもあります。皆が知っているような情報ばかりでプレゼンが終わってしまい物足りなく思うこともあります。人に伝えるとはどういうことなのか、伝える相手がいるということを常に意識することが必要です。

同じ中身でも、相手が違えば、伝え方も変わります。伝えたいことを、確実に届けるためには、大事なのが論理的な思考力です。論理的な思考力は小学校・中学校の国語や算数で一応学んでいるはずなのですが、この本を手に取ったあなたはどうでしょうか。習ったという自覚はないかもしれません。知識として知っていても、使う場面が無ければ身に付きません。わかりやすく伝えるのが目的なので、相手にわかってもらいたい、という気持ちで、考えてみましょう。

情報は幅広くモレがなく集められたか。わかりやすい整理ができているか。メリットだけでなく、デメリットもあげているか。提案に対する根拠がしっかり説明されているか。ストーリーに破綻はないか。矛盾はないか。独自の意見が織り込まれているか等々、それぞれの段階に必要なチェック項目があり、それに対応するコツやツールがあります。

難しいことではありませんが、グラフの使い方一つにも、論理的な思考の力があらわれます。日常生活でも使われていて当たり前すぎるのか、残念ながら、大学でコツやツールを教えるということはほとんど行われていません。あったとしても、初年次教育の中の一項目程度の扱いか、選択科目のロジカルシンキングやディベートの授業などに限定されています。多くの人はほとんど意識せずに通り過ぎています。

論理的に思考するのは何の為かを考えることが大事です。アクティブ・ラーニングを取り入れた授業で、他のチームのプレゼンを評価することを取り入れています。自分ではできていないのに、他のチームの問題点については鋭く指摘ができる、という経験はありませんか。近道は相手の立場になることです。「聞く相手が理解しやすいように」という意識で資料を作り、話をすることが、論理的な思考への近道です。

③
アクティブ・ラーニング導入の経緯

✻アクティブ・ラーニングの社会的位置づけ

ここで、アクティブ・ラーニングがそもそも導入された経緯について、少しおさらいをしておきたいと思います。

言葉が一人歩きしている感のあるアクティブ・ラーニングという言葉ですが、本格的に導入されるのはこれからです。2020 年度から学習指導要領に小学校から高等学校まで主体的・対話的学び(アクティブ・ラーニング)が取り入れられています。大学教育も例外ではありません。

日本の大学教育においてアクティブ・ラーニングに言及したのは、2012 年に出された文部科学省中央教育審議会の答申「新たな未来を築くための大学教育の質的転換に向けて――生涯学び続け、主体的に考える力を育成する大学へ」です。主体的な学修を促すために、教育の質的転換が必要とされ、アクティブ・ラーニングなどの導入が急がれることが提言されています。

その用語集によるとアクティブ・ラーニングは「教員による一方向的な講義形式の教育とは異なり、学修者の能動的な学修への参加を取り入れた教授・学習法の総称。学修者が能動的に学修することによって、認知的、倫理的、社会的能力、教養、知識、経験を含めた汎用的能力の育成を図る。発見学習、問題解決学習、体験学習、調査学習等が含まれるが、教室内でのグループ・ディスカッション、ディベート、グループ・ワーク等も有効なアクティブ・ラーニングの方法である」と定義づけられています。

アクティブ・ラーニングは、大学の大衆化が日本より先に進んだ米国で取り入れられた教育方法です。米国もそれまでは日本と同じく講義型の授業が主流でした。多様な人たちが大学に入り、従来の講義型では十分な教育効果が得られなくなり、その対策として1970年代には初年次教育が始まり、1980年代にアクティブ・ラーニングが取り入れられました。

日本でも同様に、大学入学者が増えた時期に学力低下が問題となり、アクティブ・ラーニングに取り組む事例が出てきました。本格的に導入されるようになったのは2000年代に入ってからです。チームワークや論理的思考が必要な医療系の学校では、比較的早い時期に取り入れられ、現在に至っています。

一方、社会的な要請を受け、経済産業省は企業の求める人材という観点から、2006 年に**社会人基礎力**として３つの能力と 12 の能力要素を発表しています。

2018 年に見直しを行い、「人生 100 年時代の社会人基礎力」として、３つの新たな視点を加えたものを発表しました。追加されたのは、人生 100 年時代ということで、ライフステージごとの学びや、定年退職してからの学び直しを意識したものとなっています。絶えず学び直しを通じて知識のアップデートや新たなスキルの獲得が必要不可欠であるとしています。主体的に学ぶ姿勢

「人生 100 年時代の社会人基礎力」とは

これまで以上に長くなる個人の企業・組織・社会との関わりの中で、ライフステージの各段階で活躍し続けるために求められる力を「人生 100 年時代の社会人基礎力」と新たに定義しました。社会人基礎力の３つの能力／ 12 の能力要素を内容としつつ、能力を発揮するにあたって、自己を認識してリフレクション（振り返り）しながら、目的、学び、統合のバランスを図ることが、自らキャリアを切りひらいていく上で必要と位置づけられます。

（経済産業省ＨＰより）

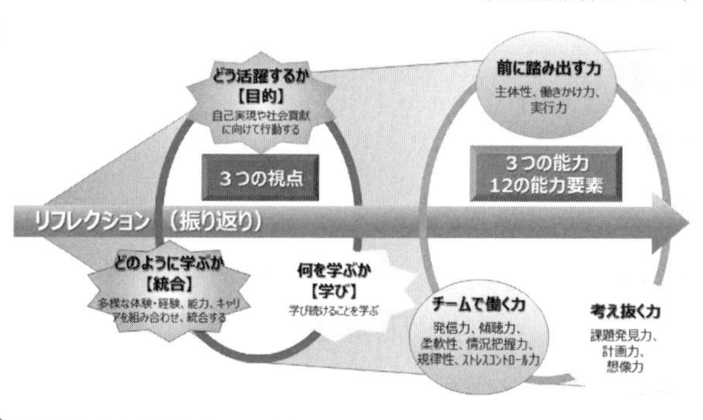

がなければ、人生100年時代を生き抜くことは難しい、ということです。勉強は大学までで終わりたい、と思っている人には耳の痛い提言になっています。

　社会に出る時に期待されている社会人基礎力ですが、12の能力要素はこれまでのような受け身の学習スタイルでは身に付けるのが難しいものばかりです。社会では自分から前に踏み出すのは当たり前ですし、難しいことに遭遇（そうぐう）した時には、自分なりにしっかりと考え、チームで物事を解決することが求められます。言われるまで何もしない人のことを「指示待ち族」と企業では揶揄（やゆ）しています。「聞いていません」という言葉も通用しません。

　経済産業省の産業人材政策室の出した資料には、経済団体が求める資質・能力としては、「社会人基礎力」に示す資質・能力のうち、主体性と課題発見力、多様性を尊重し価値観の異なる相手と協働する力が強調されています。そんな事情もあり、グループ・ディスカッションやディベートなどを入社試験に取り入れるところが多くなっています。

　経済界からの要望に対して、学問は社会に即役に立つか、立たないかでするべきものではない、という意見も根強くあります。学問は確かにそうですが、教育は社会に出て、自立できる人を育てるものであってほしいと思います。

　経済団体の期待なんて関係ない。仕事に就ければそれでいい。みなさんはそう思っているかもしれません。もちろん、業界や職種によっても求める人材像は同じではありません。企業におもねるようで嫌だ、という気持ちはわかります。企業の要望は要望として考えても、自分は今まで通りで良い、ということにはならないと思います。これまでの勉強は与えられるものだったかもしれません。でも、学校を一歩出れば、自分の頭と体で生きていかなくてはなりません。その現実を回避することは残念ながらできません。

汎用的(はんようてき)な能力である論理的に思考する力やコミュニケーション能力は、大学の試験科目にはありません。基礎的で汎用的なので、できて当たり前と思われてきました。最近では、小学校から様々な場面で思考ツールを使うという学校も出てくるなど、変化が起こっています。自ら学ぶアクティブ・ラーニングが主流になるのも、遠くないかもしれません。

✿フィンランドの教育目標は一生学びつづけること

経済協力開発機構(OECD)が15歳の生徒を対象に3年に1回行っている「国際学習到達度調査(PISA)」があります。読解力、数学リテラシー、科学リテラシーを測定するためのPISAで安定して上位にある国としてよく話題になるのがフィンランドです。最近は中国などが台頭し順位は下がり気味ではありますが、充実した教育には定評があります。

『競争やめたら学力世界一』(福田誠治著、朝日新聞社、2006)によると、フィンランドでは学力を社会に出てから活きてくるものと捉(とら)えなおし、教育の目標を遠くに定めて育てていく教育観があります。一生涯学び続ける力、学習力を付けることが学校教育の目的となっているということです。

そのため義務教育期間である16歳までは、他人と比較するためのテストも競争もなく、勉強を強制することもなく、教師の役割は学びを促すことだというのです。日本とは随分様子が違います。

教育方法にも特徴があるようです。『図解 フィンランド・メソッド入門』(北川達夫／フィンランド・メソッド普及会著、経済界、2005)には、この本でも紹介しているマインドマップという、思考を活性化させる方法を小学校で導入し、発想を広げるだけでなく、分析にも使っている様子が紹介されています。自分の考えを述べる時には、その理由づけが必要であるという教育が日常的に行われており、結果よりプロセスを重視していることがわかります。

フィンランドの教育は、何のために教育するのか、学ぶのか、という基本のところが、常に意識されており、一人ひとりに確かな力を付けることが目的となっています。知識ではなく、考え方を理解し、一生使えるようにする、という目標が明確で、そのための工夫があるように思います。

✲日本の課題、あなたは大丈夫？

フィンランドの教育について紹介しましたが、「国際学習到達度調査（PISA）」では、日本の子どもたちの数学的リテラシーと科学的リテラシーは世界でもトップレベルに位置しています。一方、読解力が低下しているという結果が出ています。長文を読み、そこから書かれていることの信憑性（しんぴょうせい）を評価するという課題に対して、できない生徒が多いというのです。また、「自由記述形式の問題において、自分の考えを他者に伝わるように根拠を示して説明することに、引き続き、課題がある」と文部科学省・国立教育政策研究所が2019年12月に発表しています。

同調査では生徒への質問調査も行われており、「読書が大好きな趣味の一つ」と答えた生徒は、日本は45.2％と高いのですが、もう少し詳しくみると月数回以上読む本の種類は日本は漫画が54.9％と高くなっています。しかし読む本の種類によらず、よく読む生徒の読解力の得点が高いという結果が出ています。

授業で、少し長い文章を読んで、要点をまとめ、自分の意見を書く、という課題を出すと、必ず「もっと短い文章にしてください」という注文がつきます。大学生に漫画以外の本を読む習慣を聞けば、１か月に１冊も読まない、という人も多いのではないでしょうか。レポート課題に対しても、参考資料にインターネットのURLはあがりますが、書籍をあげる人はほとんどいません。

最近、問題になっている本に新井紀子さんの『AI vs. 教科書が読めない子どもたち』(東洋経済新報社、2018)があります。この本には「誰もが教科書の記述は理解できるはず」という前提に疑問を持ち6000人の大学生を調査した結果が紹介されています。

新井さんは、入試で問われるようなスキルは問うていないにもかかわらず、入試の偏差値のような大きな差があらわれた結果を、論理的な読解力と推論の力に問題があるのではないか、と考えています。全国の2万5000人の中高生を対象にした数学基本調査でも基礎的読解力について調査していますが、そこでも3割の学生が問題の文章そのものを理解していないという結果がでています。数学の記述式問題が苦手、というのは実は問題の意味がわかっていなかったことに起因していたのです。

新井さんはこの調査を始めようと思った動機を、「大学に勤める教員の多くが、学生の学力の質の低下を肌で感じていたからです。(中略)学生との論理的な会話、設問と解答との間で、会話が成立しないと感じるシーンがあまりにも増えている」「論理的なキャッチボールができる能力を身につけないまま学生が大学に入ってきても、大学として教育できることは限られています」と厳しい実態にふれつつ書いています。

大人になったら数学の勉強はないのだから関係ない、と思うかもしれませんが、読解力がないのは、勉強ができない、というだけのことでは済まされない問題を孕んでいます。新井さんも指摘していますが、上司の指示をちゃんと理解できない、仕事のマニュアルがきちんと読めない、ということがあれば、様々な支障が生じることになります。一つ間違えば、大きな事故が起こるなどのリスクにもつながります。読解力の不足が日本の危機をまねくことにもなりかねません。

その背景には様々な要因があると思います。軽々には言えませんが、学生たちを見ていて感じることはいろいろあります。学校という同質性の高い環境にいると、想像力を働かせる必要や、感受性を磨く機会は少なくなりがちだと思います。携帯電話の普及で、長い込み入った文章を書く習慣がなくなりつつあります。スマホになってますます手軽さに甘えた結果、今の学生の中には、パソコンのキーボードが使えない人が増えています。スマホで、レポートやパワーポイントの資料を作成している学生も相当数いると思います。段落の無い文章や推敲した形跡が感じられないものなど、これはスマホで書いたものだとわかります。

便利で快適な生活や道具は、決して悪いことではありません。でも、ワープロを使うようになって漢字が書けなくなったと感じるように、これまでもっていた能力を失っていくようなこともあるかもしれません。そういうことに対する自覚が必要な時代になってきていると言えそうです。

④
実践！　アクティブ・ラーニング

✼スタートは今

人との付き合い方も論理的な思考も、習う、というより慣れる、ものかもしれません。会話をスムースに進めたり、広げたりするのにコツはあります。矛盾していますが、本で読んで勉強しても上手くいくものではありません。実践こそが大事です。この本でできることは、怖がらずにやってみる、きっかけづくりに過ぎません。場数を踏むことで、一生ものの力になります。

大人なら誰でもできているか、というとそんなことはありません。相手のことを考えずに長い話をする人や、話していることがわかりにくい、という人が周りにいると思います。お知らせのメールや事務文書を貰（もら）った時、何を言いたいかわからない、という経験があると思います。誰が読むのか、何を伝えたいのか、意識しなければ、そういうことが起こります。

苦手だ、できない、という自覚があれば、心配はいりません。書いたり、話したりする時、少し気をつけるだけでも結果は随分変わります。知らないことに少し敏感になりましょう。自分で調べてもよいですし、教員や先輩や保護者等、知っていそうな人に聞くこともできます。もちろんロジコミ・メソッドも使えます。

時には「そんなことも知らないのか」とバカにする人もいると思います。保護者や教員は期待があるだけに、「そんなことも知らないのか」と思ってしまいがちです。それにはめげないでください。

知らないからこそ知りたいと思って質問しているのですから、あなたは正しいのです。勉強したいと思っているのですから、恥じることはありません。わからないを意識し、知りたいと思った時が、あなたのスタートの時なのです。何かを始めるのに遅すぎるということはありません。

アクティブ・ラーニングで必要となる能力は一生ものです。失敗しても、学生であれば、何度でもやり直すことができます。学生の間こそ、身に付けるチャンスです。

アクティブ・ラーニングは実に広範囲のことを学ぶ仕組みです。知識として学んでいる、知っているということと、実際に使いこなすのとでは、大きな違いがあります。アクティブ・ラーニングは頭で理解するものではなく、経験がものをいう学びのスタイルです。実際に使ってみてこそ意味があります。

一度自分のものにすれば、つまりちゃんと理解すれば、暗記しておかなくても、一生使うことができます。自転車に乗れるようになれば、どんな自転車でも乗れるのと同じです。コツを摑むというのはそういうことです。

✲学びのスイッチを入れる

アクティブ・ラーニングは、それ自体が目的ではありません。学び方を身に付けて、生涯学び続ける人になるための実践的なトレーニングです。学校を卒業すれば学びが終わるわけではありません。生きるためには、社会の変化を受け止め、知識をブラッシュアップし続けることが必要です。

知識を知恵に変え、コツを摑み、センスを磨くことを目指すのがアクティブ・ラーニングです。人と語り合うことで、自分では気づかない、これまで考えもしなかったことに出会う楽しさを知ることができます。一人では実現できないことも、人が集まれば可能になります。そういう可能性を感じるための予行演習でもあるのです。

授業時間中後ろの方でスマホをいじっている学生が多いのが現在の授業風景です。座席を指定したり、スマホを取り上げたり、管理しようとすればできないことはないと思います。でも、実際のところスマホを触っていなくても、目を開けていても、やる気がなければ大差はありません。講義型の授業は受け身ですが、成績を上げたい、というモチベーションは多くの学生にあるようです。

一方、アクティブ・ラーニングは能動的学習と言われますが、評価が数値化できず曖昧です。学生の“やる気スイッチ”が入らなければ、成立しません。

実は、授業より、サークル活動やインターンシップなどの単位とは関係ない場合の方が前向きで、創造的活動につながっているように感じます。やらされ感がないせいでしょうか。アクティブ・ラーニングの授業は教員もいろいろと考えて準備をし、時間中も何かと手を差し伸べるのですが、むしろ逆効果になることもあります。期待が大きすぎると圧が強い、と引かれてしまい、各自の判断で、と言うと、何を求められているかわからないと、不満が募って進まなくなるなど、悩ましい状況が続きます。

やる気のスイッチはどこにあるのでしょう。教員にやるように言われたからやっている状態はスイッチがオンになっているとは言えません。むしろやらされ感で、パワハラだと感じる場合だってあるでしょう。将来のため、と言われても学生の間はそんなことを考えたくない、働きだしたら自然にその気になるはず、と思っている学生が多いのも確かです。

一方で、何事にも積極的に関わろうとする学生もいます。何がどう違うのか、どんなきっかけでやる気のスイッチが入ったのでしょうか。スイッチを入れることは本人にしかできませんが、スイッチがオンかオフかで、結果は明らかに違います。スイッチの入った学生に聞いても、答えは一様ではありませんでした。

「先のことを考えた時、今の自分ではダメだと思ったから」
「どうせやるなら積極的な姿勢でやる方が結果に納得できるから」
「できないことを痛感したから」

自分の現状に対する不満や問題意識があって、それを変えたい、という積極的な気持ちは共通のように思います。

人生は長いですが、今という時は1回きりです。適当にやっても、真面目に取り組んでも、その時はあまり変わらないかもしれません。でも、違うのは一生懸命取り組めば、知らないこと、できないことに気づくことができるということです。自分の中のマイナスに気づくことが、スイッチを入れるきっかけになることもあるのです。

褒(ほ)められると頑張(がんば)れる、とは学生から良く聞く言葉です。でも要注意です。学生が少し頑張れば、大人は簡単に褒めてくれます。教員側もせっかく頑張ったのだから褒めてあげたいという気持ちはあります。叱(しか)るより褒める方がずっと楽なのです。

よくやったことに違いはありませんが、それが社会で通用するレベルかどうかは別の問題です。表面的なものではなく、自分の中に判断基準を持つことです。低いレベルで満足していては、本当のスイッチは入りません。高みを目指して失敗するくらいが、ちょうどよいと思います。

学ぶことの意味を、学生も教員も、今一度基本に戻って考えることが必要です。学び続けるために必要なことは何なのでしょう。自分の意志を持って、半歩前に出るためには何が必要なのでしょうか。それは一人ひとりが自分を見つめ、考えるしかありません。

学ぶというのは、できない、上手くいかない、ということを感じた時がスタートラインです。一人ではできないことも、みんなの力を持ち寄れば、上手くいく確率は確実にあがります。楽しい時間も過ごせます。勉強が嫌いでも、学ぶことは面白い、と思えるはずです。

少しやる気を出して学びのスイッチを入れると、成績や単位のためではなく、一生使える学び続ける力を手に入れることができます。それこそが、学びの意味だと思いませんか。

5つのトリセツ・ストーリー

この章は5つのショートストーリーで構成されています。主人公は大学生で、授業でのグループワークやサークルでのイベント企画、学園祭での模擬店出店など、学生生活における「あるある」な出来事を描いています。

物語の中で、学生たちは様々な課題や問題に遭遇します。そして悩み、困った後に、3章で紹介するロジコミ・メソッドの様々な手法やツールに出会い、それらを使って議論を進め、思考を深め、問題解決に向かっていくのです。ロジコミ・メソッドは授業だけでなく、学生生活、仕事や暮らし、日常の様々な場面で応用して使うことができるものです。

3章を読む前に、ここに書かれた5つの物語でロジコミ・メソッドを疑似体験してみてください。これらのお話は、いわばロジコミ・メソッドの「取扱説明書」、トリセツ・ストーリーとなっています。読めば、自分なりのロジコミ・メソッドの使い方が見えてくるかもしれません。

Story 1
「課題解決は誰のため？」

【登場人物】

鈴木アリサ

某大学２年生。授業のグループワークでは一応リーダー役。

佐藤ユウゴ

同上。フットワークは軽いが思いつきで行動しがち。

高橋レイコ

同上。流行に敏感。パワーポイントの操作が得意。

田中ミナ

同上。コツコツ作業をするのが好きなタイプ。

鈴木アリサは大学２年生。今、授業で「地元食品企業の課題解決のための提案」について取り組んでいます。これは４人グループで進めていくのですが、仲の良いメンバーと一緒のグループになれなかったことでアリサはイマイチやる気の出ないまま。

食品企業デイリーフードから提示された課題は「食品ロスを減らしていくために企業として何ができるのか」です。次の授業では企業に中間発表をしなければならないので、ある程度の提案がまとまっていなければいけません。一応リーダーとなっているアリサは皆に話しかけました。

「何か案のある人っている？」

……皆黙ったままです。
「…えっと、じゃあさ、他の食品企業がやっていることをネットで調べて書いちゃえば？」
「佐藤くん、それいいかも。ほら、このへんの有名企業の取り組みとか、使えそう」
「じゃああたしパワポ、それっぽくまとめようか？　こんな感じで…」
「高橋さんパワポ上手、いい感じ～」
そんなこんなで、なんとなく“それっぽい”提案ができたところで、中間発表の日がやってきました。
パワーポイントを見せて、原稿を読んで、無難に終わったところで、発表を聞いていた企業の担当の方から質問が出ました。
「どうしてこの提案をうちの会社でやったらいいと思ったのかな？」
「えっと…、マルヤス食品とか青葉製菓でも取り組まれているし、地球環境にも配慮されてて…」
「もちろん取り組みの内容としては間違ったものじゃないと思うけれどね、それはどこでもできるってことだよね。うちの会社として何ができるのかを考えてほしかったんだけど」
「…………」
「それにその中のひとつは、もううちで過去に取り組んだ実績があるんだけど、それは調べてなかったのかな」
「…………」
“それっぽく”小ぎれいにまとめた提案は、企業担当者には全く響かず、中間発表評価はずいぶんと低いものとなりました。
　次の授業。アリサたちは少し落ち込み気味で黙ったまま。どう修正していいのかもわかりません。
　「あの…、鈴木さん」と、今まであまり発言のなかった田中さんが声を出しました。
「直接、会社の人に聞いてみるのはどうかな」
「え？」
「どういうこと？」
「こんな記事を見つけたんだけど…」
　田中さんがパソコンで見せてくれたのはデイリーフードの若手営業職のインタビュー記事でした。
　食品業界や自社への思いや、食品ロスに関心を持っていることなども書いてあります。
「ねえ、これどうやって見つけたの？　こんなのネットでは全然見つからなかったけど」
「別の授業でね、新聞記事検索のこと知って。ほら、大学の図書館のホームページにもこんなにいろんな新聞社のリンクがあって」
「おお、食品ロスで調べたら、地元の人を巻き込んだ面白い取り組みもヒットする。こういう地元での取り組みならデイリーフードでも考えられそうじゃない？」
　佐藤くんがさっそく記事検索にチャレンジ中。手ごたえを感じているみたいです。
　「そっか…。うちらが考えた提案って、デイリーフードのことを全然考えてなかったね」とアリサ。
　「会社の歴史とか、食品ロスのこととか、図書館や新聞でも調べる？　ネット検索だけじゃわからないことといっぱいあるし、あと結構間違った情報もひっかかったりするしね」と田中さん。
「そうだね。どうせやるならとことんやろうよ！　田中さんが記事見つけてくれてよかった！　次の発表までに、もう一回練り直そうか。あ、その前にこの社員さんにインタビューしないと」と高橋さん。
「……で、誰が会社に連絡してアポとる？」
「………」
「………」
「………」
どうやらアリサたちの課題学習はまだまだ前途多難の模様。

ロジコミ・メソッド的ポイントCHECK！

●話し合いが停滞したときは、場の空気を変える「スイッチャー(転換役)」が重要に。
→3章1節Step3
●情報収集の方法はスマホだけではない。いろんな方法・方向から。
→3章2節Step1
●模範解答は必要ない。相手を意識して、相手が何を求めているのかを考えてみる。
→3章3節Step2～3

「決め手は表で見つけ出せ」

【登場人物】

田中ミナ

某大学２年生。ダンスサークル所属。しゃべるのは苦手。

山本ナツミ

同３年生。サークルリーダー。アイデア出しが苦手。

川崎リュウジ

同２年生。学年のまとめ役をしている。自己主張が強め。

森田ケンタロウ

ダンスサークルOB。新入社員として企画営業部で奮闘中。

「…じゃあ、とりあえずやりたいもの、順番に言っていこうか」と、ダンスサークルのリーダー・ナツミが口火を切りました。秋の学園祭で模擬店を出店することになり、今日はその企画会議です。

「たこ焼きは？」

「王道で焼きそば！」

「屋台なら唐揚げで決まり！」

「揚げ物ならフライドポテトは？」

「チョコバナナとかの方が簡単そう」

「スイーツ系ならタピオカがよくない？」

（どうやって決めるんだろう…。なんだか…正直どれもありがちだし…）

思いつきのようなノリで出てくる案を聞きながら、ミナは思いました。その時、ひときわ大きな声で発言したのは、２年のまとめ役のリュウジ。
「やっぱ唐揚げにしましょうよ〜。絶対間違いないですって。余ったら俺食べますよ！」
（いやそれ、最初から自分が食べたいだけじゃん！）
他のメンバーたちは心の中でツッコミつつも口に出せないまま。微妙な空気が流れ始めたとき、部室の扉が開きました。
「うっす。久しぶり。あれ、みんな残ってる。ミーティング？　これ、差し入れ。食う？」
去年の卒業メンバーの森田ケンタロウが手に持った菓子袋をひょいと持ち上げて見せました。
「森田センパイ！」
「ケンタロウさーん！」
場の空気が一気に緩(ゆる)みました。ミナは憧れていた先輩の登場にちょっとドキドキ。
「へえ、学祭の模擬店かー。大会重なってここ２年くらい出店してなかったからなー。で、どうやって決めてるんだ？　好きなメニュー言い合ってるだけ？　それじゃあ決まんなくない？」
ナツミは、そうなんですぅという顔で先輩に助けを求めました。
「皆でどんどんアイデアを出すのはまあいいよ。会社でもさ、最初はブレストって言って、とにかく思いついたこと言っていくんだ。人の意見からも連想したり便乗したりして。でもそれだけじゃ決め手がないだろ？　ちょっと整理してみたらどうだろ？」
　ナツミに指名されて筆記係になったミナは、先輩のアドバイスに従って、ホワイトボードに表を作り始めました。これまでに出たメニュー案を横軸に、縦軸には「材料」「費用」「下準備」「調理」「購買層」など、判断基準になりそうな項目を入れて、表を埋めていきます。できあがった表からはいろいろなことがわかりました。
「たこ焼きの機材は借りると結構高い」
「フライドポテトや唐揚げは事前に大量に冷凍保管しておく場所がない」
「どれも過去に誰かがやっている店ばかり」
　比較するとわかりやすいなぁ、先輩さすがだなぁとミナは書きながら感心。表を眺めていたリュウジも自分の唐揚げ案はイマイチかとおとなしくなりつつ、ふと思いついたように言いました。
「学園祭って 11 月の半ばだから結構寒いし、あったかい汁ものってどうっすか？」
　この意見に皆が賛同し、またアイデア出しが始まり、最終的にミニサイズのにゅう麺に決まりました。
　汁ものからにゅう麺を思いつくまでには、マンダラートという 9 つのマス目を使った手法でイメージを膨らませました。これもケンタロウ先輩が教えてくれたものです。
　いいアイデアにメンバーも盛り上がり、準備もしっかりと進めることができました。土日で開催された学園祭の初日、量も値段も手ごろとあって売り上げは順調。ところが、天気予報がいくぶんか早まり、2 日目は朝から雨。客足が伸び悩み、結局トータルの売り上げは思ったほどにはなりませんでした。
「まあ、天気はどうしようもないですよね」とリュウジは明るく言い、ミナは「それに、企画を考えて準備する時間も楽しかったです」とナツミに告げました。
ちなみにケンタロウ先輩、知り合いを連れて学園祭を訪れ、かなり売り上げに貢献したとかしないとか。

ロジコミ・メソッド的ポイントCHECK！

●アイデア出しの最初の一歩はブレスト(ブレインストーミング)から。
→3章2節Step2
●マトリクスで比較整理すると客観視できて、特徴や大事なことが見えてくる。
→3章2節Step2
●マンダラートはアイデアを磨くのに役に立つ。
→3章2節Step2

Story 3

「プレゼンに足りなかったもの」

【登場人物】

川崎リュウジ

某大学２年生。明るいキャラだがプレゼンは苦手。

石川ナオキ

同３年生。次期ゼミ長候補。ちょっと俺様キャラ。

長野エリ

別のゼミ生。デザイン関係の仕事に就きたいと思っている。

福岡シンジ

別のゼミ生。落研に所属していて話すことが好き。

くじ引きでトップバッターとなり、リュウジを始めとしてゼミグループのメンバーは皆緊張気味です。今日は学内で催されるプレゼン大会。ゼミで取り組んだ地方でのフィールドワークの結果を発表するためにエントリーしています。２年生にとっては授業以外での大きなプレゼン大会はほぼ初めての経験。

「こういうのは審査員にウケるコツがあるんだって。俺の言う通りにやったら大丈夫だからお前らそんな緊張すんなって」

一人余裕なのはグループリーダーである３年生のナオキです。１年生の時に、あるプレゼン大会で優勝したことがあるらしく、発表の段取りも仕切っていました。でもリュウジたちは不安でした。ナオキが過去のプレゼン大会で優勝したのは、とても優秀な上級生がいたからだと、うわさで聞いていたからです。それにリュウジはプレゼン発表が苦手でした。仲間内ならノリよくいくらでもしゃべれるというのに、いざ人前で「発表」となると何をどうしていいやらわかりません。今回も、先輩のナオキに任せて自分はなるべくおとなしくしていよう、と考えていました。
「では最初は経営学部の一ツ橋ゼミによる発表です」
　ゼミの名前が呼ばれ、ナオキたちのプレゼンが始まりました。ナオキは自信満々で手持ちの原稿に沿って「どれだけすごい活動をしてきたのか」を大げさなジェスチャーを交えて説明しています。リュウジはパワーポイントの操作にだけ集中していました。しかし、審査員の反応はイマイチです。
「二宮ゼミの発表を担当する長野エリです」と、次のプレゼンが始まりました。
「すげえ、かっこいい…」リュウジはつぶやきました。発表者の長野さんが作ったと思われるパワーポイントがとにかく見やすくてわかりやすく印象に残るデザインだったのです。
「何がいいんだろ？　俺たちのと比べると圧倒的に情報量は少ないけど、かえってスッキリ見えるし、それに大事なことはちゃんと残してあるから伝わるんだよな。グラフをうまく使って比較してるのも効果がわかりやすいし、数字があるとなるほどなって思える。使ってる色も３色くらいだけど内容のイメージに合った色になっててピンとくるというか。ちょっとしたイラストが入ってるのもいいよな」
　感心しきりのリュウジでしたが、隣のナオキも同じことを思っているようで、見入っていました。
　「三条ゼミの福岡です」と、次のプレゼン。福岡くんは発表の中に、苦労したことや失敗した体験などをうまく盛り込んでいました。審査員も聴衆もうんうんと頷（うなず）きながら引き込まれています。
「自分の体験が入っているとリアルだし個性も出るし、その失敗を改善しながら提案につながったと思うと実現性がある感じがするなぁ。そっか！　そういうストーリーがいるんだ」
　その後もプレゼンは続き、いよいよ順位発表となりました。
　結果は……２位。上から、ではありません。下から２番目の、最下位一歩手前の順位でした。１位と２位は、観客が引き込まれるプレゼンをした長野さんと福岡くんのゼミでした。
　リュウジたちのプレゼンは、審査員の先生方からは「悪い内容ではないけれど魅力がない」「なぜこの提案にしたのかが伝わってこなかった」など、シビアな意見をいろいろともらいました。でも二人とも、いえ、グループのメンバーは皆、順位には納得していました。
　「なんか、俺のプレゼン、いいとこばっかの自慢アピールって感じで、ちょっとウザかったよな。他のやつ見たら、いろいろ勉強になったかも」と、ナオキは苦笑いして言いました。みんなもナオキにほとんど任せていた手前、責めるわけにもいかず、「しょうがないかも」「次はがんばろう」という顔です。
「それにしても長野さんのパワポ、センスよかったな。今度デザインとか教えてもらっちゃおうかな」
　そんなことを心の中で考えているリュウジ。人前でしゃべるのは苦手でも、可愛い女子には積極的。妙なポジティブ思考で足取り軽くプレゼン会場を後にするのでした。

ロジコミ・メソッド的ポイント CHECK！

- 伝わるパワポはポイントや色を絞って、データやグラフも活用。
  →3章3節 Step2
- 自分の体験や身近なできごとを織り交ぜると親近感がアップ。
  →3章3節 Step2
- 言いたいことばかりの自慢はつまらない。聞く人の気持ちになって。
  →3章3節 Step2

「企画のイロハがわからない！」

【登場人物】

石川ナオキ

某大学３年生。ボランティア活動グループのお調子者。

菊池カオリ

同２年生。グループメンバー。旅行に行くのが大好き。

夏目ジュンイチ

同３年生。グループメンバー。ネット上では人気絵師。

宮沢マリエ

NPO の若き代表。学生にも対等に接するが礼儀に厳しい。

「じゃあ、今年の夏の企画は子供の居場所づくりに取り組む NPO 代表の宮沢さんの講演と親子向けの体験ブースでいきます」

とあるボランティア活動グループで新年早々決まったプロジェクト。グループで人気のあるナオキは、プロジェクトリーダーとして、メンバーを率いて取り組むことになりました。講演者の NPO とナオキたちのグループは、同じ地元で活動する団体です。

いつもは自分たちだけでステージイベントやゲームを企画・実施していて、外部の団体から講師を呼ぶのは初めてのことでした。明るい盛り上げ役としてナオキはグループでは人気でしたが、実はあまり計画性があるタイプではありません。
「リーダーなんだからさ、ちゃっちゃと決めて指示してくんないと」
　リーダー役を狙っていたジュンイチは妬みもあるのか心なしか発言がキツめです。
　ナオキは思いつく作業をバラバラとグループメンバーに割り振っていきました。しかし連絡ミスや作業漏れなどが発生し、準備は思うようには進んでいきません。ナオキ自身も講師への連絡担当となり、NPO の宮沢マリエさんに依頼メールを送ったのですが、その返信には「依頼メールの書き方がなっていない」「学生だからといって甘えてはいけない」と、厳しい言葉が並んでいました。
「センパイ…、もしかして講演、断られちゃったんですか？」
　心配そうにカオリが聞きました。
「いや、講演自体は一応受けてくれたけど、タイトルと日にちと場所以外に具体的なことが全然書いてないし、日にちの選択肢も無いって怒られてさ。あと、宛名に“宮沢さん”って書いてたら、友達じゃないんだから相手の所属も入れて“NPO 法人こどものはらっぱ　代表　宮沢マリエ様”って書くのが常識だろうって」
「あ～、それは注意されるかもです。私、ゼミの先生が結構マナーとか厳しくて、LINE 感覚で宛名も書かずに送った時があってよく怒られました」
「こんなことならカオリンにメール文お願いしたらよかったかもなぁ。よし！　これから送るメールはちゃんとしたいから、下書き見てくれないかな。そうだ。イベントポスター作るっていう大仕事も残ってた。あ〜、あと何やらないといけないんだっけ」
「落ち着いてくださいって！　メール手伝いますよ。それからやることリストを書き出して整理しましょうよ。えっと、まず講演会の当日までの段取りと当日のタイムスケジュール、それから親子体験ブースの準備物と…私、旅行の行程表とか荷物リストとか作るの好きだからこういうのもちょっと得意なんですよ。あ、雨の時ってどうなるんでしたっけ。それからポスターですけど、夏目センパイとかどうですか？」
「ジュンイチ？」
「はい！　SNSで見たんですけど、実はイラストすごく上手いんですよ〜。デザインもできそう！」
　カオリの機転とアドバイスで、準備は何とか進んでいきました。ポスター制作を頼まれたジュンイチは「仕方ないなぁ」と言いながらも、かなりクオリティの高いものを仕上げてきました。パッと見て惹き込まれるイラストとキャッチコピー文、親子向けイベントの楽しい雰囲気も出ています。
　でも「これ貼ったら、とりあえず集客は大丈夫」と考えていた甘い予想に反して申込みが全く伸びず、ギリギリでポスティングやご近所まわりで人集めに大慌てすることになったのですが…。
　イベント当日。交通機関のトラブルで講師の宮沢さんの到着が遅れるというハプニングがありましたが、雨の日のために用意していたミニプログラムで時間をつなぎ、何とか対応して無事終了。

「来年のリーダーはカオリンだなぁ」
打上げの席で、ナオキはぼんやりと考えていました。

ロジコミ・メソッド的ポイントCHECK！

●メールとLINEは別物。相手の立場になって必要な情報をきちんと伝える。
→3章3節Step2
●ポスターは目をとめてもらうもの。でも貼っただけで人が集まると思ったら大間違い。
→3章3節Step2
●どんなことにもフロー（流れ・段取り）がある。しっかり練って準備と対策を。
→3章3節Step1

Story 5
「迷走グループの舵を取れ」

【登場人物】

夏目ジュンイチ

某大学３年生。食品関連の企業を志望している。

冬川レン

他大学生。自称コミュ障。ノートを書くのは昔から得意。

秋田カリン

他大学生。読書好き。人情物の時代小説にハマっている。

春野オリエ

食品企業勤務。若手営業職の紹介記事で新聞に掲載された。

株式会社デイリーフードのインターンシップ会場では、いろいろな大学の学生たちが５～６人でひとつのグループとなり、グループ・ディスカッション中。与えられたテーマは「これから売り出す新商品を考える」。決められた時間で商品アイデアをまとめなければなりません。

リーダーになれば評価が高いはず…そんな単純な動機で手をあげてグループリーダー役になったジュンイチは、テンション高めに皆に呼びかけていますが、グループメンバーはぎこちないままです。

「えっとさ、とりあえずアイデア出していこうよ。順番に意見言ってもらえるかな。じゃあそこの、冬川くん？　なんでもいいのでお願いします」

「………別に……」
「え？」
「……オレ、コミュ障なんで……こういうの苦手っていうか……いきなり聞かれても……」
「え、あ、まあ、そうかもしれないけど、話進まないじゃん？　なんでもいいからさ…(勘弁してくれよぉ。これじゃあグループリーダーの評価も下がるかも…)」
　でもジュンイチが話せば話すほど、グループのメンバーは引き気味で、話し合いになりません。
「あの…、ちょっといいですか」
　おとなしそうな秋田さんが小さく手をあげました。
「いきなりいいアイデアとか出ないし、例えば6W1Hとか使って考えてみるとか…」
「ロクダブルイチエイチ？」
「えっとですね、新商品について、誰がターゲットか、いつどこでどんな場面で食べるものか、価格設定いくらにするとか、Who・Whom・When・Where・What・Why・How で条件設定から考えるやり方」
「なるほどー、わかりやすいかも。あ、購入者データの資料が参考になるよね」
「それだとロールプレイもいいかも。授業で一度やったんだけど、いろんな世代や立場の購入者や開発者の目線になってみて、こういう商品があったらいいな、できそうだなって考えてみるの」
　「なんかそれ面白そう。主婦だとどんな時にどんなものが欲しいとか、学生だったらとか、サラリーマンとか、そういう感じだよね。そこにさっきのロクダブルなんとかを入れていけばアイデアにつながりそうな気がする！」と別の学生も話し合いに参加し始めました。
　いくつかの購入者パターンを皆で出し合ったところで、秋田さんが冬川くんの手元を見て言いました。
「冬川くん、それ話し合いの記録だよね。リアルタイムで書いてくれてたんだ。図も使ってるし、流れに沿って書いてあってすごくわかりやすいよ！」
「ほんとだ！　こんな意見も出てたって思いだせるし、これみんなで見ながら提案を絞り込んでいこうよ。このあとも記録お願いしていいかな？」
　ジュンイチがたずねると、冬川くんは軽く目でうなずき、また黙々とノートに書き始めました。

「ここも何とかなったみたいね。どうだった？　難しかった？」
　発表を終えたジュンイチたちのところに、一人の社員が話しかけてきました。インターンシップを担当している若手社員です。「春野」という名札をつけたその女性は、ジュンイチに向かって言いました。
「リーダーやってみてどうだった？」
「えっと、引っ張っていくのって難しいっていうか、それだけじゃダメなんだなって思いました」
「そうだね。リーダーって先頭に立てばいいもんじゃなくて、チーム全体、メンバー一人ひとりをちゃんと見ることができないと務まらないからね。上から目線の偉そうなリーダーとかイヤでしょ？」
　「それからね」と冬川くんに向き直りました。

「コミュ障だから、って言い訳は会社じゃ通用しないよ。初めて話をする相手にどうやったらわかってもらえるのか、伝えたらいいのか、仕事ではそういうことを日々考えるんだから。伝えようとする努力と工夫が大事。せっかくのこの記録の特技を生かしていくといいと思うよ」

　それぞれがいろいろな体験や考えに触れたインターンシップ。
　グループでは一番地味だった秋田さんが、のちにこの会社の内定を取ることを、ジュンイチたちはまだ知りません。

ロジコミ・メソッド的ポイントCHECK！

●企画書づくりやアイデア出しで使える６Ｗ１Ｈはいつでも頭に置いておく。
　→３章３節Step2
●ロールプレイで話し合いを活性化すればアイデアが生まれる！
　→３章１節Step3
●話し合いを可視化できるグラフィックレコーディングを活用。
　→３章１節Step3

ロジコミ・メソッド

論理的思考とコミュニケーションの道具箱

ロジコミ・メソッドについて

　これからの社会に、今までのようなモデルはありません。希望に満ちた新しい社会を創るのは皆さんです。誰かが決めてくれたことに従うのではなく、「一人で思う、二人で語る、みんなで考える」ことが必要です。でも、一人の思いを、みんなと共有し、何かを実現するのは、容易なことではありません。論理的に考えて、平易な言葉でわかりやすく伝えることが必要です。

　そのために学校では、アクティブ・ラーニングという「先生から教えてもらう」から、「みんなで学ぶ」スタイルに授業が変わろうとしています。目指しているのは「主体的で、対話的で、深い学び」です。一生使える汎用的（はんようてき）な能力を付けるのが狙（ねら）いです。

　でも、正解のない問いを解くのは簡単ではありません。急にそんなことを言われても……、という人のために大人社会にも通用する、実践のためのチエとコツを収めた道具箱として、このメソッドを作りました。

　授業だけでなく、就活に、そして社会に出てからも様々な場面で、きっと心強い味方になります。やる気になったあなたを少しだけ後押しする。それが、私たちの願いです。

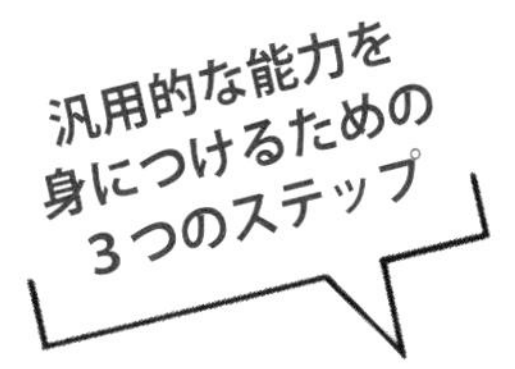

1

ちゃんとやっていれば
成長する過程で
身につきます。

コツ
コツは
つかむもの
コツ

2

こっそり盗んだり
取りに行かないと
手に入りません。

センスは
磨くもの

3

美しいものを見て
人のふるまいに感じ
自らを育てることです。

ロジコミ・メソッドの使い方

ロジコミ・メソッドはみなさんの「道しるべ」、いわば
ＭＡＰです。全体は３節で構成されていて、
各節の内容も３つのステップで進めます。
１節ではグループワークを楽しみながら、
やる気（Motivation）を高めます。
２節では視野を拡げて
自分ならではの、何か秀でたもの（Advantage）を
身につけます。
３節では相手が得した（Plus）と思えるような
提案ができるようになります。

ロジコミ・メソッドに登場するアイコン

考える
ヒント

使える
ツール

お試し
ワーク

大学生の
実際の意見
を反映

ロジコミ・メソッドのしくみ

3ステップで攻略！

来た！

1節
グループワークを楽しむ

1. 思う
2. 語る
3. 考える

まずは一人で考えて。
話し合う楽しさの中で
やる気をアップ。
新しい発見や気づきの芽が
自分の中にやって来る時間。

見えた！

2節
世界を拡げる

1. 拾う
2. 眺める
3. 見つける

たくさんの情報の中で
自分のコトが見えてくる。
それは自分の中の
特別なタネを見つける時間。

伝わった！

3節
伝えて共鳴する

1. 形にする
2. 伝える
3. 関係を創る

自分のコト・自分ゴトを
誰かに伝える練習。
プラスになる提案が
相手の心を動かす時間。

最初の半歩を
踏み出してみる!

1 節へ

1節 グループワークを楽しむ

ひとりならつぶやき
ふたりなら意見
三人なら提言

Step1. ひとりで思う

これは何だろう、何かヘンだ、
ハッキリしない、妙な違和感…。
人知れず感じるモヤモヤはありませんか。
でも、実はそれがアイデアの種子(タネ)。
まず自分の中にあるものを、
しっかり意識することが第一歩。

1節
グループワークを楽しむ

アイデアのタネはすぐそこに

アイデアが集まると花園になるかも

Step2. ふたりで語る

人は、感じ方、考え方がみんな違う。
そして、異なる考えがぶつかると
エネルギーが生まれます。
だから、ふたりで語ればアイデアの種子(タネ)
が芽吹きます。
人の話をしっかり聞く、
対話のレッスンです。

ふたりのエネルギーで
未知なるアイデアの芽が！

自分を知るため
には、周りの力
が必要！

Step3. みんなで考える

人はさまざまだから、アイデアの花もいろいろ。
同じところを見つけたり、違うところを比べたり
すれば、それが模様となり花壇ができます。
ここでは、グループワーク（ワークショップ）の
基礎を学びます。

1節　グループワークを楽しむ

Step 1. ひとりで思う

1. トリセツを書いてみる

- 自己紹介は得意ですか？　あなたはどんな人？　普段は、あまり自分のことについて考えることはないかもしれません。

- けれど、就職活動のエントリーシートを書くときなどは、自分を客観的に記述しなければなりません。

- 手始めに、自分を分析する練習を。手法はいろいろありますが、ここでは一例として「自分のトリセツ」を使っています。

体験！ トライアルシート

～まずは準備運動から

私の取扱説明書

・製品仕様
（私の特徴、
こんなことができます！）

・故障かな？ と思ったら
（落ち込んだり、調子が悪くなると
こうなります）

・メンテナンス方法
（こうすると機嫌が直ります）

電化製品のトリセツのように、自分を商品に見立てて、
取り扱い方を説明してみると、自分を客観視できます！

Step 1. ひとりで思う

2. ジブンのコダワリは何？

● 次は、あなたのコダワリについて考えます。無いようでも必ずあるのが「コダワリ」です。

例えば、「時間」。あなたは「時間」厳守するほうですか？　それともルーズでしょうか？

例えば「場所」。「これを食べるならココ」なんてコダワリ無いですか？

例えば「ルール」。「○○は絶対しない」「○○だけはする」…決めてること、ありませんか？

●「コダワリ」から自分のことが見えてきませんか？

●「コダワリ」は、人とコミュニケーションをとる時の、あなたの尺度にもなっているのです。

じつはコダワリだらけ？

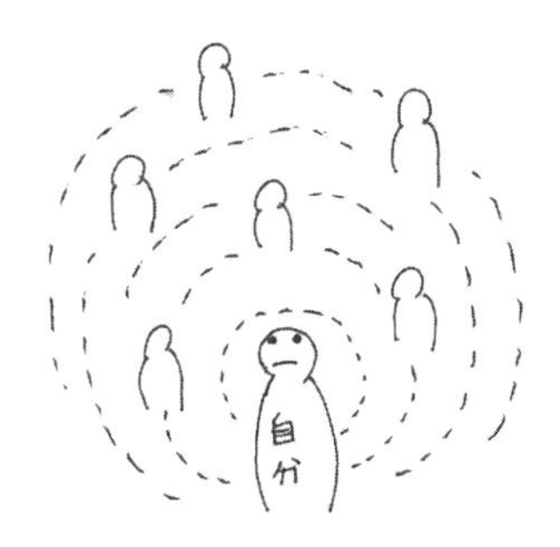

周りはあなたを映してくれる鏡！

3. でもジブンは見つからない

- 自己分析で客観的に自分を見つめることはとても大事です。でも残念ながら、「社会の中の自分」は、自分を見つめただけでは、わからないのです。
- でもそれで構いません。わからないということがわかれば良いのです。
- あなたの周囲の人たちと対話を重ねていけば、その関係性の中から「ジブンが何者か」が見えてくるハズです。

1節　グループワークを楽しむ

Step 2. ふたりで語る

1. まずは相手の話を聴く

- コミュニケーションの最小単位は、二人での対話。
- 鎧(ヨロイ)を脱がないと、人とは仲良くできません。
- 相手に寄り添い、相手の話にじっくり耳を傾けることが何より大切です。

聞いてるよ！というメッセージは、相槌(あいづち)で伝わります。

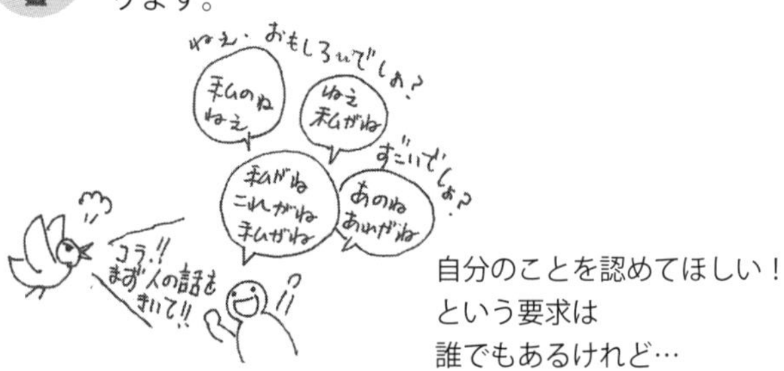

自分のことを認めてほしい！
という要求は
誰でもあるけれど…

対話と会話はどう違う？

「対話(Dialogue)」とは、「他人と交わす新たな情報交換や交流」のこと、「会話(Conversation)」は「すでに知り合った者同士の楽しいお喋り」のことです。対話では、「異なる価値観のすり合わせ、差異から出発するコミュニケーションの往復」に重点を置きます。

平田オリザ『対話のレッスン』(小学館)より

2. 対話でキャッチボール

運動オンチでも対話の「キャッチボール」ならできる！

- 相手の話に耳を傾けるということは、相手から投げられたボールをしっかりと受け止めること。
- 次に、そのボールを、相手が受け取りやすいように投げ返します。
- 相手に関心を寄せることが大切です。残念ながら、関心のない人とは、キャッチボールも続きません。

例えば相手と自分の「共通点」や「相違点」を見つければ、それが会話のきっかけになります。

3. 初級編：他己紹介 

タコとイカの他己紹介！

- 対話の変化形、他己紹介をしてみます。
- 相手の特徴を聞き取り、それを他の人に紹介します。より深く相手について知ることができます。

Step 2. ふたりで語る

4. 中級編：質問をする

- ちゃんとした質問をしなければ…と構える必要はありません。「わからないこと」を素直に聞けばよいのです。
- 授業や講演会などで、演者がまだ話していないことを話してもらうのも、質問の役割です。
- 既に話していたことを質問でもう一度聞くのはNG。
- そのためにはまず話そのものを「しっかり聞いておく」ことが大切です。自分だったらどうかな？　と考えながら、話の内容や感じたことをメモするといいでしょう。

思ったことはとにかくメモしておくとそれが質問のヒントに

5. 上級編：インタビューに挑戦する

- 対話のキャッチボールが少しできるようになったら、次はインタビューや取材に挑戦を！

★まずは下準備

①余裕をもって電話やメールでアポとりを。目的や聞きたいことを丁寧かつ簡潔に伝える。

②インタビュー相手のことを事前に調べることが大事。それは相手に誠意を示すこと。質問のタネも見つかるので、聞きたいことは事前にリストアップ！

- 問いの例「これまでにどんな活動を」「活動の中でよかったこと」「活動の中でつらかったこと」「今後どんなことをしてみたいか」

★インタビューのポイント

①きちんとメモを取るのは基本。

②最初の問いが肝心。それ以降は、相手が話した内容から次の質問を見つけて、しりとりのように会話をつなげていく。

終わったあとは、相手の方へのお礼も忘れず伝えること！

③相手の未知の部分を引き出すことができたら成功。インタビューの面白さは、当初想定もしなかった気づきや発見があること。

- 「相手」にとっても「よい時間」になり、「発見がある」のが最高です。

1節　グループワークを楽しむ

Step 3. みんなで考える

　学ぶ気持ちさえあれば、インターネットを通じて、一人で自由に簡単に知識を得ることができる時代です。しかし一人で集められる情報は限りと偏りがあります。だからこそ体験を取り入れたり、複数の人と取り組む「アクティブ・ラーニング」が生まれました。

　集まった人が刺激しあって、何か新しいものを作り出していくことで「チームワーク」も生まれます。そこでは、学びあう「楽しさ」に目覚めることも可能です。

1. まずは場づくりから

- 向かい合ってみんなの顔が見えるように座ります。
- 自己紹介やゲームなどでアイスブレイクをして緊張をほぐします。
- アイスブレイクのやり方はたくさんあります。
- 誕生日順に並んでグループ分けをするバースデーサークルはお手軽な手法！

※ p.65 他己紹介もアイスブレイク手法。

誕生日が近い人には
なぜか親近感がわく⁉

★キホンの知識

● はじめる前にしておく

- 話し合いのルールを決める（「全員が発言する」「否定しない」など）
- 話し合いの目的と時間を確認
- 進行役や記録係を決める

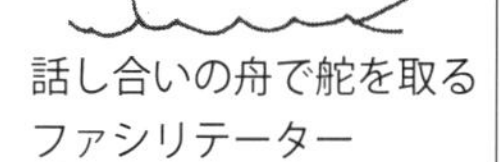

話し合いの舟で舵を取るファシリテーター

● ファシリテーターの役目

- グループでの進行役
- 話し合いが円滑に進むよう、舵取り
- ちょっとまとめてみたり、質問したり
- 話をつなぐ働きをする
- 発言のない人に話を振ることも役目

さりげなく
話し合いをサポートする
【隠れファシリテーター】
に一人ひとりがなれば、
実りある、楽しいグループワークに、きっとなります！

● グラフィックレコーディング～記録の手法

- 話し合いの内容を、皆に見えるように記録
- 文字だけでなく、図や絵でビジュアル化
- 議論の見える化が、意見やアイデアにつながる
- 決まったことがモレなく共有される

※５章「グラフィックレコーディング」参照

※ファシリテート（facilitate）とは「促進する」という意味

Step 3. みんなで考える

2. 話し合うコツ

- 集まっているだけでは話し合いにはなりません。
- メンバー全員がグループのテーマや目的をしっかり共有・認識した上で、話して、聞くことが大切です。

3. グループワークの醍醐味

- 人の発言への便乗は大歓迎！　話し合いがどんどんふくらみます。
- いつものメンバーや仲良しグループだけでは新しい発見は生まれづらいもの。多様な人と交わることも大事。
- 「なるほどね！」「そうなのか！」と予想外の答えにたどりつくことで、意識が変化し、常識がゆらぎ、考えをバージョンアップすることができます。

仲間だけではダラダラしがち
刺激しあうためには緊張感も必要

スイッチャーを知ってる？

話し合いが停滞したときには、場の空気を一瞬で変える「スイッチャー（切り替え役）」が必要です。スイッチャーの一言で、新しい切り口が見えたり、違う答えを見出したり、いろいろな発想の転換が起こります。

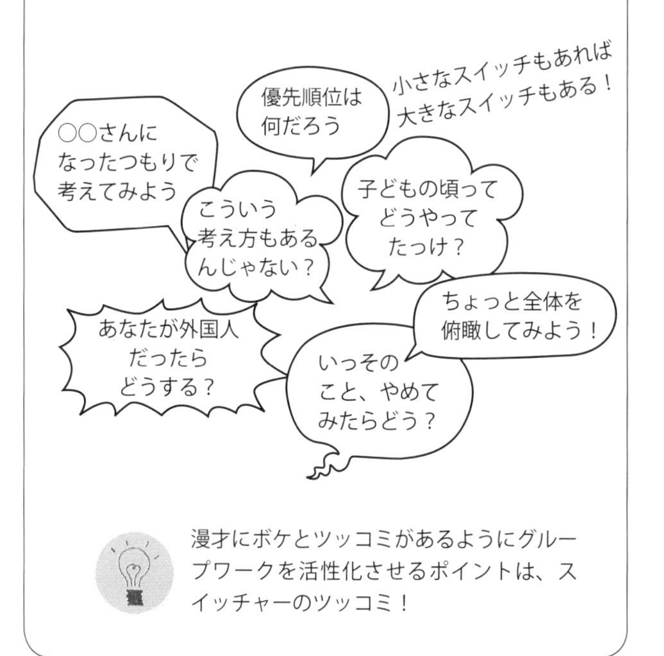

漫才にボケとツッコミがあるようにグループワークを活性化させるポイントは、スイッチャーのツッコミ！

Step 3. みんなで考える

- いろいろなタイプのグループワークを体験練習できる手法を３つ紹介します。
- ゲーム感覚で行えるものから、話し合いを深めるものまであります。４～６名のグループで、ぜひトライしてみてください。

■ 自己紹介も兼ねて ～リレー式スピーチ「テーマしりとり」

①１人目が１分間の話をする。題材は最近の出来事など何でもよい。

②２人目は、１人目の話した内容からキーワードを拾って、それをテーマにして１分間話す。

③３人目は、２人目の内容からキーワードを拾って話す。

④思いつかない場合はパスして次の人へ。

⑤時間があれば、最後に１人目の人が最後の人の内容からキーワードを拾って話す。

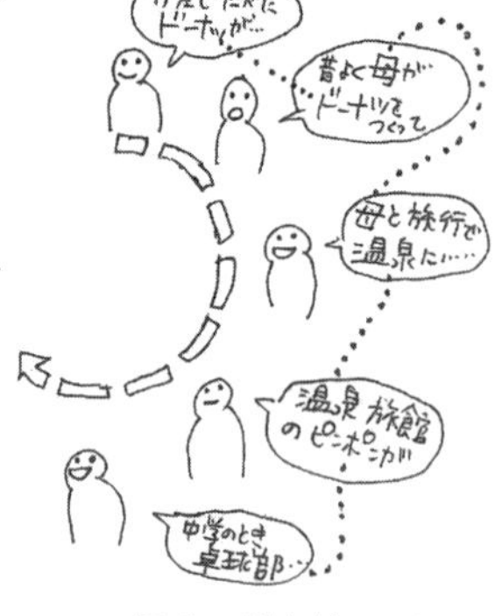

相手の話を拾ってつなげていきます

- 話す練習になるとともに、アンテナを立てて人の話を聞く訓練になります！

■テーマを深める
～関係者になってロールプレイ

①テーマに関係する人や生き物をメンバーに割り振る。

②それぞれの役になりきって、意見を言う。

● ものごとを多方面から見て考えることで、偏った話し合いを防ぐことができます。

□事例Ａ　「公園の新しい使い方」の場合
　→親子、小学生、犬の飼い主、行政、野良猫など

□事例Ｂ　「熱帯雨林の開発と環境問題」の場合
　→村人（森の持ち主）、開発業者、森の生き物など

身近な課題から
地球規模の問題まで
考えることができる！

Step 3. みんなで考える

■ グループの力を試す！　～コンセンサスゲームの紹介

- 合意形成の重要性を体感できるものとしてコンセンサスゲームがあります。心理学者が考案、実験し、NASA（アメリカ航空宇宙局）が監修しています。

- NASA ゲームとも呼ばれ、複数のバリエーションがあり、企業研修にも使われています。

- 極限下での遭難時、限られたアイテムを使いどうすれば助かるか、アイテムの優先順位を考えるものです。最初は個人で考えて、次にグループで考えて、それぞれ順位づけします。

- いずれも専門家による「模範解答」が存在し、個人で考えるよりもグループで話し合って答えを出した方が、より模範解答に近くなるという実験結果が出ています。

※所要時間は 1 ～ 1.5 時間程度ですが、アイテムを少なくして短時間で行うことも可能です。

※各ゲームの詳細はインターネットなどで調べることができます。

コンセンサスゲーム①「月で遭難したら？」

【内容】

あなたは宇宙飛行士です。乗っている宇宙船が月に不時着してしまい、約 300 km 以上離れた母船にたどり着かねばなりません。残った 15 のアイテムの重要度を考えて順位をつけてください。

【15 のアイテム】

マッチの入った箱、宇宙食、45 口径ピストル、酸素ボンベ 45 kg、信号用照明弾など

コンセンサスゲーム②「砂漠からの脱出」

【内容】

あなたの乗った飛行機が砂漠に不時着しました。飛行コースからは 100 km 以上離れ、一番近くの町までも 100 km 以上。生き残るために 12 のアイテムの重要度を考えて順位をつけてください。

【12 のアイテム】

ガラス瓶に入っている食塩、この地域の航空写真の地図、一人 1 着の軽装コート、化粧用の鏡など

私の役割ってなんだろう？

グループで取り組むプロジェクトなどの役割分担では一般的に「リーダー」「連絡係」「記録係」などが思い浮かびますが、実は誰にでも唯一無二の「私の役割」があります。
グループワークの中で、学生に「自分の役割は何だったか」を聞いてみました。

- 「リーダーとして判断・決断・方向決定を行う人」
- 「サブリーダーとして広く浅くサポートする人」
- 「発言していない人に注目するファシリテーター」
- 「注意喚起や意識確認を呼びかける人」
- 「わかりやすい言い換えをして噛み砕く人」
- 「メンバーのメンタル＆モチベーション管理人」
- 「モチベーション係として場をポジティブにする人」
- 「アポ取り、まとめ、資料作成などの実務担当」
- 「スケジュールの管理担当」

（学生が考えた「グループ活動の中での〈私の役割〉」）

グループワークは友達同士がいい？

グループワークのメンバーは、友達同士がいいのか初対面がいいのか？
それぞれにメリット・デメリットがあることを知っておくことが重要です。
以下の表は、学生がグループワークのメンバー構成について考えたものです。

学生の声	メンバー構成のタイプ	
	仲良しグループ	初対面グループ
メリット	・自己紹介のプロセスを省略できる ・自然体でいられる ・共通の話題が多い ・連絡が取りやすい	・知り合いが増える ・話が逸れにくい（適度な緊張感） ・多様性や新しい価値観が生まれる ・発見がある
デメリット	・話が逸れやすい（緊張感が無い） ・意見が偏ったり、似たものになる ・誰かがやってくれるという甘えが生じる	・緊張する ・話しにくい重い空気 ・遠慮してしまうのでまとまりにくい ・初めに動くとリーダーなどをやらされる
運営のための工夫	・意識して視野を広くする ・切り替え役が必要 ・あえて敬語で話す ・メンバー同士で評価	・アイスブレイクをしっかりする ・進行役がきちんと仕切る ・相手に興味関心を持って信頼関係をつくる

次は新しい発見を
育てるプロセスへ

2 節へ

2節 世界を拡げる

1．拾う
2．眺める
3．見つける

調べなければ無知
比較しなければ無理
他人（ひと）ごとでは無力

Step1. ハテナを拾う

「ハテナ？」と疑問に思うことはありますか。「わからない」から「調べる」。「ハテナ？」をたくさん拾ってモリモリ調べる。すると、情報がカタチになってきます。

あなたの「疑問」は未知を開く鍵

Step2. 情報を眺める

空から地上を見ると、新鮮な驚きがあります。それは、地上にいるときには見えない関係が一望できるから。
集めた情報を広げる、並べる、眺める。全体がわかり、意外なものも見えてきます。

地図とコンパスを使うと、自分の位置が見えてくる！

上から見たら気づくこともある

Step3. テーマのタネを見つける

情報を集め、発見はありましたか？
気になる何かが見えたなら、それがあなたのタネ。
自分なりの意見や考えが詰まった大事なタネを見つけることが、テーマにつながる第一歩。

2節　世界を拡げる

Step 1. ハテナを拾う

世の中には「知らないこと」がたくさんあります。そんなコトバやコトやヒトに手をのばしてみると、「こんなこともあったのか」という驚きや発見があります。

「面白そう！」「気になる！」「もっと知りたい！」と芋づる式に新しい世界が開けていきます。あなたの知らない「？」をたくさん集めてみてください。

1. 情報 ～言葉の海に飛び込む

- 新聞、雑誌、書籍、映像(ニュース、ドキュメンタリー、ドラマなど)、インターネットなど、情報は自分の世界を拡げるための必須の情報源。
- ただし世の中にはフェイクニュースもたくさん。全てを鵜呑みにするのではなく、選び取る目も大切です。出典(情報の出どころ)はしっかりチェック！

最初は手軽なスマホ検索で OK
気になる言葉からはじめてみる

スマホと PC では
検索結果や順位が違う。
位置情報が反映されたりモバイルサイトが優先されることもあるから注意！

芋づる式の読書はオススメ！

2. 場所 〜未知の現場に足を踏み込む

- 行ったことのない場所には必ず新たな情報があるはずです。新たな発見や体験は、新鮮な驚きと刺激に。
- フィールドワークや旅行を通じて、現実と想像の違いに気づけば、それこそが大切な情報になります。
- 五感をフル回転で使って感覚を磨く機会に。

旅行ではいろいろな出会いを楽しんで

3. 人 〜生きた声に耳を傾ける

- インタビューやグループワーク、アンケート調査は、貴重な生の声を知る大切な機会。
- アンケートでは数字だけでなく自由記述にも注目を。
- 身近な友人だけでなく、世代の異なる家族や教員、バイト先の店長、普段は話すことのない人の声も、あなたの世界を確実に拡げるはず。

直接聞かなきゃわからない

たくさんの情報を手に入れたら次へ

2節　世界を拡げる

Step 2. 情報を眺める

コトバや情報を並べて眺めながら、整理したり考えたりするのが次の段階です。

それにはまず、集めた情報、そこから思いついたコトバ、とにかくどんどん書き出してください。ここで手を抜くと、結果に影響します。

- 情報整理では、「モレなく・ダブりなく・全体を網羅(もうら)」することが大事です。
- その考え方（心がけ）をMECE（ミッシー）といいます。

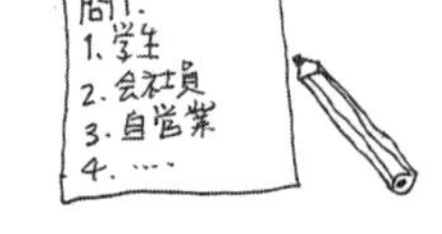

アンケートの選択肢を考える時にもMECEが大事！

※ MECE：Mutually Exclusive and Collectively Exhaustive（相互に排他的、かつ集合的に網羅的）

情報には一次と二次がある！

情報は「一次情報」と「二次情報」に分けることができます。

一次情報とは、自分の体験や経験、調査を通じて得た生の情報で、インパクトは強いけれど、思い込みには要注意！

二次情報は、誰かから聞いたり、誰かが書いたり発表したりしたもの。例えば新聞やテレビのニュースなどです。情報としては手に入りやすく膨大にありますが、信頼できる情報かどうかの判断と選別が必要です。

1．社会人も使っている定番ツール

① ブレインストーミング

- あるテーマについて、自由にアイデア出しをする手法。全員が順番に必ず何か発言。

- ルールは4つ

1.「批判しない」：批判されるといいアイデアが出ない

2.「自由奔放に」：思いついたら言ってみる

3.「質より量」：とにかくたくさんのアイデアを

4.「便乗歓迎」：人の意見から連想したり、アイデアをプラスして新しい意見にしてもOK

② KJ法

- たくさんの意見をグループに整理して、集約する手法。ふせんを活用します。

※KJ法：名前の由来は考案した文化人類学者の川喜田二郎氏のアルファベット頭文字

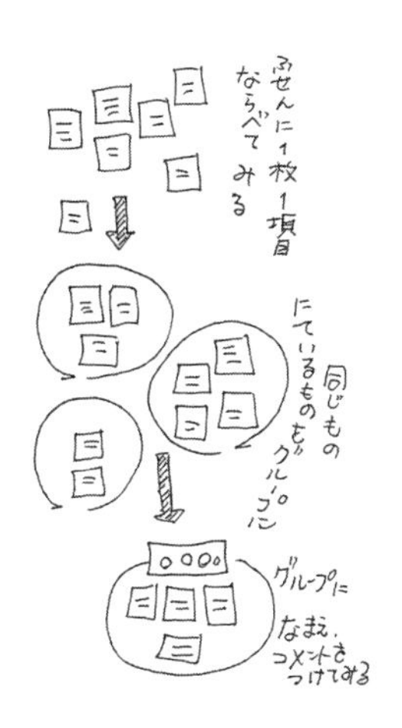

Step 2. 情報を眺める

アイデアや言葉を絞り出すのはとても大変ですが、ツールを使えばずっとやりやすくなります。そうして絞り出された情報は、見る角度を変えたり、並べ直してみることで、新たな視点や見えていなかった世界を見つけることができます。全体像も見えてきます。

2. マインドマップ　〜つながりをたどる

- 中心となるキーワードから、関連する言葉やイメージをつなぐことで膨らんでいく地図。
- 大木の幹からたくさんの枝が伸びていくように、中心となる言葉からすぐに連想する言葉を書き、その言葉から思い浮かぶ言葉につなぎます。
- 繰り返すことで枝葉は大きく伸びて、コトバの地図が育っていきます。創造力を発揮すれば、大木が描けるはず。
- 大木を見ていると、あなたの大事なものや関係性などに気づきませんか？

栄養はあなたの創造力

自分が大事にしているものや
その関係性が見えてくる

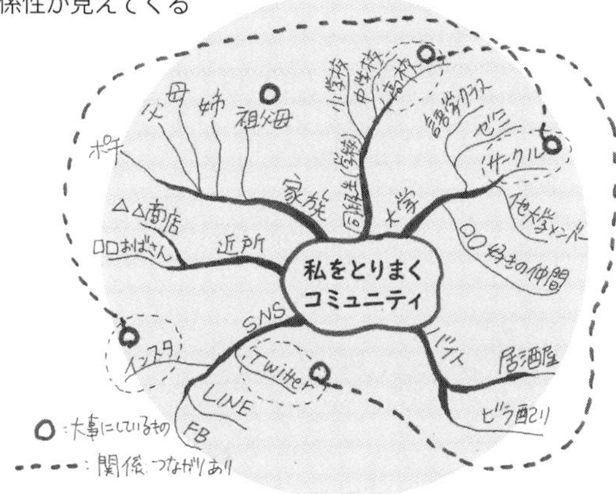

アイデア出しの中で意外な
重要度に気づく

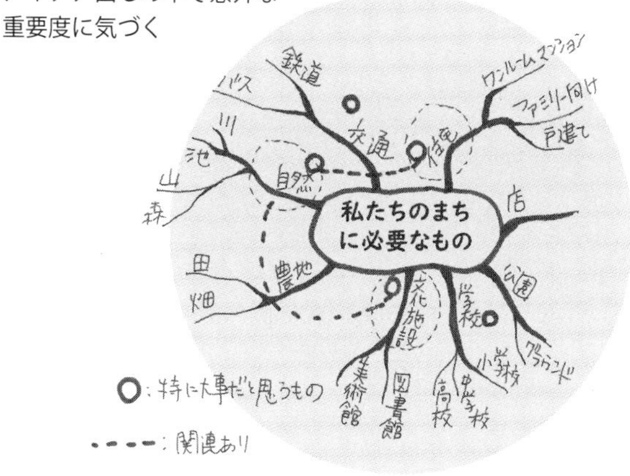

Step 2. 情報を眺める

3．マンダラート　～拡げて深める

- 9つのマスの中心に、キーワードやお題を書き、イメージを拡げて周りの8つのマスを埋めていきます。最終的には81マスが埋まります。
- 枠を決めることで、「何とか埋めてみよう」とひらめきが生まれ、何を書くか、絞り込む間に考えが深まっていきます。
- アイデアを拡げる時にも使えます！

【こんな時にも使えるよ事例】
「学生にヒットする商品は？」

真ん中がお題。関連する言葉が8つ埋まったら、
さらに1つのマスをまたマンダラートで深めてみる

①9マスの真ん中にお題を書く

② 周りの8マスを連想する言葉で埋める

友達と遊　ぶ	仕事で成功する	お金を貯める
時間をうまく使う	お題 **幸せになるには？**	人に信頼される
健康管理をきちんと	家族を大切にする	趣味を充実させる

学生が実際にやってみたマンダラート事例です。

③ そのうち1マスをさらに展開

	夜更かしをしない	必要か不要か見直す
	時間をうまく使う	移動時間を活用する
考えたらすぐ行動！	スケジュール管理する	時計を見るくせをつける

制約があるからこそ絞り出せる！
無理にでも8つを埋めてみる！

4. マトリクス　〜箱に入れてみる

- たくさんの言葉やアイデアが出たら、次は分類が必要。
- マトリクスは、表形式の分類ツール。プロ野球やＪリーグの勝敗表にもマトリクスの表が使われています。
- 大切なポイントは、縦軸と横軸に何を置くか、つまり何を基準にものごとを分類するか。それが、自分の言いたいこと、大事にしていることを見つけるヒントにつながります。

【こんな時にも使えるよ事例】
「引っ越しする時に住みやすいまちはどこかを比べる」
「スマホ購入時に各メーカーのスペックを比べる」

体験！　トライアルシート

～比べればわかる！①

就活対応！　興味のある会社を比べてみると…

		A社	B社	C社
待遇（自分の損得）	福利厚生	休暇制度充実	残業がほとんどない	住宅手当
	給料	初任給高め	資格をとれば手当てあり	昇給制度充実
	交通アクセス	通勤２時間	駅から遠い送迎バスあり	通勤30分
世間体	知名度	一部上場企業	メディア露出多い	
会社の中身（やりがい）	仕事内容が面白そうか			
	社長のキャラ			
	？			

あなたならココに何を入れますか？

ここに入れた項目は、あなたが一番気になっていることや大事にしていること！

Step 2. 情報を眺める

5. 上級編：XY軸 ～俯瞰（ふかん）する

- XY軸は、自分の考えや情報を整理するための便利なツール。さまざまな問題に適応できます。
- 何を軸に置くのかが重要。まず、縦と横に大切と思う軸（項目）を置いて考えます。
- 2つの軸の中に、コトバや情報をたくさん置いて比較検討することで、①傾向が見え、②問題点がわかり、③抜けや重なりが見えて、明快に説明できるようになります。

事例①　麺類（めんるい）メニューの分類

- 強弱や大小を軸として、個々の情報の位置関係がわかる

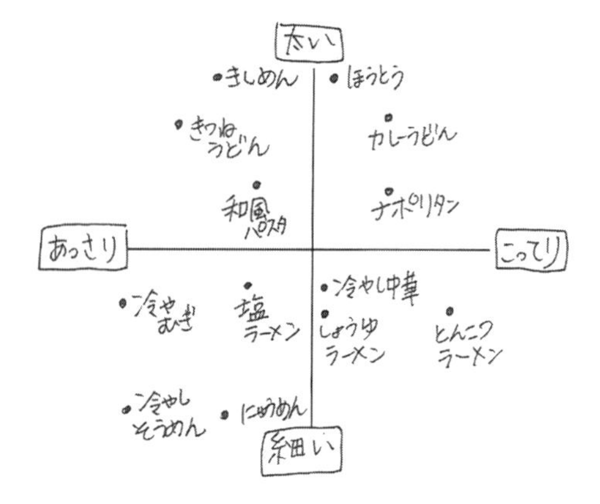

事例②　国の面積と人口の関係図

グラフ上の位置で示した情報からX軸とY軸に関係性があるかがわかる

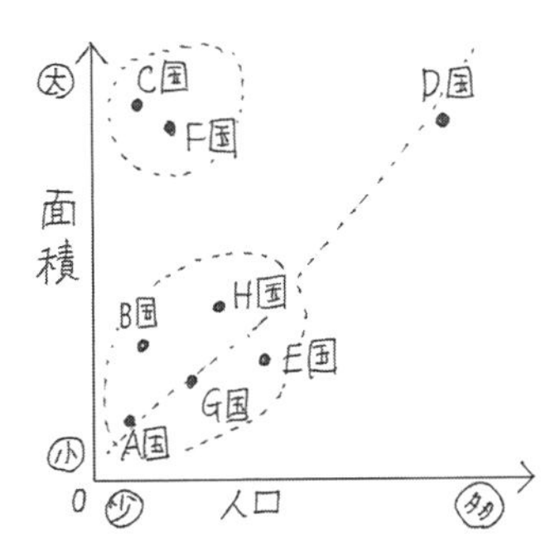

事例③　企業における事業分析

● X軸とY軸で区切られたどの位置にあるかで評価する

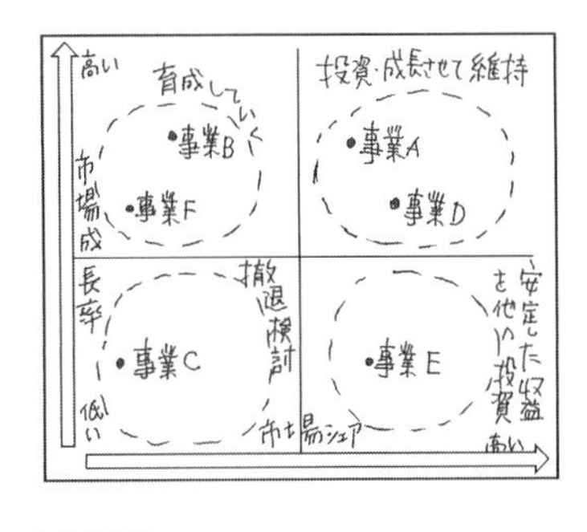

情報が見える形になってきたら…

Step 3 へ

※参考資料
なるほど統計学園〜グラフの種類
https://www.stat.go.jp/naruhodo/c1graph.html
なるほど統計学園高等部〜散布図
https://www.stat.go.jp/koukou/howto/process/graph/graph6.html

2節　世界を拡げる

Step 3. テーマのタネを見つける

　コトバの世界に身を置いて、拡がる情報の世界を眺めて、さあ、あなたが「面白い」と思えるものは見つかりましたか？　たくさんある中から、あなたのとっておきのタネを見つけるために大事なことは、自分を起点に考えることです。

1. あなたの興味・関心を大切に

- 大事なのは自分が好きなこと、興味が持てること、知りたいこと。それは自分の経験とどこかでつながっています。
- 人に響くのは、あなたの経験から出た実感のこもった言葉です。
- 「ぼっち」や「オタク」になっても気にしない。声を上げれば必ず仲間が見つかります。

ユニークなぼっちになる！

2. 経験が拡げる世界

- 立派なことや、一般論でテーマを選ぶのは簡単です。でも大事なのは、あなたの経験や実感で展開できるかどうかです。
- 必要なのは「もっと知りたい」、「わからない」があることです。そこから世界が拡がります。
- 模範解答はいりません。自分の言葉で語れば、人の気持ちを惹きつける魔法の言葉が生まれます。

3. 経験と社会がつながる

- 自分と同じような経験は、案外他の人にもあるものです。経験を語れば、共感者もいれば、何かに気づく人もいます。
- それが一つのタネを皆のテーマに育てる大事なプロセスなのです。あなたのタネがみんなのタネになって膨らみだします。芽が出るのはもうすぐです。
- 最後に大事なのは、テーマが目的に合っているか、社会とつながっているか、を確認することです。テーマを糸の切れた風船にしないためのチェックポイントです。

3節へ

3節

伝えて共鳴する

語り手よし
聴き手よし
社会よし

Step1. テーマを形にする

自分の中に生まれたテーマの芽、そのまま放置したのでは残念ながら育ちません。人に理解してもらうために必要なのは、わかる形にして、届けること。ロジカルに考えて、わかりやすいビジュアルにします。
ちょっとしたコツはいりますが、誰にでもできます。

3節 伝えて共鳴する

どうすれば相手に届くかを考えてみる

Step2. 伝える工夫

相手は何を知りたがっているのか。それがわかれば言葉の選び方が見えてきます。あとは道筋を決め、言葉を定め、表現手段を選びながら、相手の頭の中にあなたのアイデアを届けていくだけ。

**伝えることは、
新しい関係を
創るということ！**

全体像と必要な情報を選んで
相手に届ける！

Step3. 関係を創る

たくさんの意見が、話し合いの中で一つになります。
目的が見つかれば、ゴールはもうすぐそこです。

Step 1. テーマを形にする

テーマの芽を育てて、結果につなげるためには、まずはそれが本物かどうか、ハッキリと見極めます。自分の感覚だけに囚(とら)われず、周囲を見渡す。普段の自分より、少し高い位置から眺めてみましょう。あなたの強みが発揮できそうですか？

展望台から眺める気持ちで！

テーマのポイント これがあれば「本物」のテーマ！

① 目的に合っている

② 自分としての意見がある

③ 情報を集めて説明できる

④ 実現可能性がある

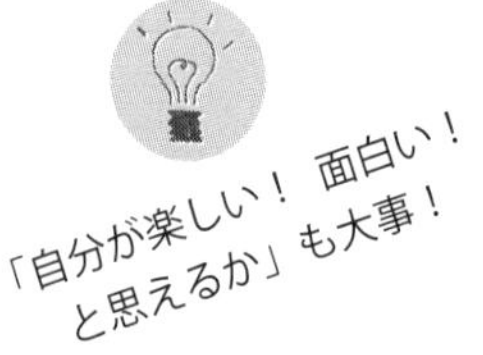

1.視座を高く　～目的はなにか？

- 何のためにするのか、目的を確認する。グループで進める時は特に大事です。
- 目的が共有できなくては、次のステップに進めません。
- 時々、思い出して確認することも忘れずに。

2.視野を広く　～全体像を見る

- 自分の興味だけで走り出すのは、危険です。
- 他の人にも理解できるように、視野を広げて全体像をまず摑（つか）むことが大事。
- 共感を得られますか？

3.視点を定める　～自分の立ち位置

- 対象や目標が大きくなりすぎたり、ぼやけたりしないように注意。
- 自分・自分たちが、どの立場、立ち位置なのかを表明する必要があります。
- 最後にもう一度、目的に合っているかをしっかりと確認します。

Step 1. テーマを形にする

一般的なアクティブ・ラーニングフロー

テーマが提示されたら…（グループで取り組む場合）

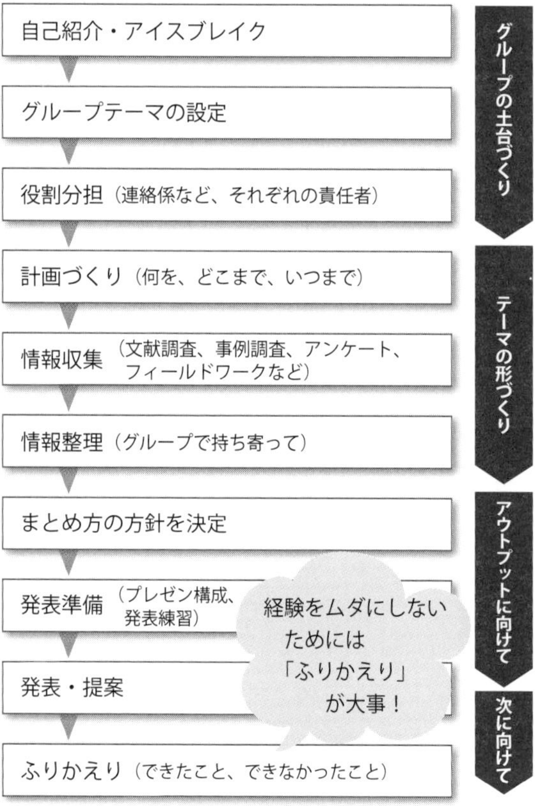

グループの土台づくり
- 自己紹介・アイスブレイク
- グループテーマの設定
- 役割分担（連絡係など、それぞれの責任者）

テーマの形づくり
- 計画づくり（何を、どこまで、いつまで）
- 情報収集（文献調査、事例調査、アンケート、フィールドワークなど）
- 情報整理（グループで持ち寄って）

アウトプットに向けて
- まとめ方の方針を決定
- 発表準備（プレゼン構成、発表練習）
- 発表・提案

次に向けて
- ふりかえり（できたこと、できなかったこと）

経験をムダにしない
ためには
「ふりかえり」
が大事！

～基礎を固める②

- あるテーマにグループで取り組み、提案をまとめる場合の基本的な流れ（フロー）を考えます。
- 必要な項目、着地点、締め切り、を考えてフロー図にします。
- チームプレーには計画性が必要です。

Step 1. テーマを形にする

3つのポイント

①テーマ選びは慎重に！

●「社会と自分の重なり部分」にあるものを意識して選びます。

●取り組みテーマの事例●

「高齢者問題を若者の視点で考える」
「おじいちゃんの住む田舎に人を呼ぶには」

自分が興味あることなら何でもいい！　ってわけではない

② 情報集めに手を抜かない

- 最初からこれとこれだと決めつけないで、複数の情報を集めます。

- 情報集めはいろいろな視点から。

③ 次につながる分析を

- 現状分析で終わらずに、課題解決につながる自分なりの提案に導くこと。

Step 1. テーマを形にする

学生の声

学生が考えたアクティブ・ラーニングフロー

「私ならこんなテーマでこんなふうに取り組む！」

「社会的課題が与えられたと仮定して、それに対する提案を考えて発表するまでにどんなプロセスが必要か」

…学生グループが実際に考えました。

２つの事例を紹介します。共通項目もあれば違う部分もあり、それぞれ次のようなこだわりを持ってフローを作成しました。

- チームA：中間発表を早めに行い、途中何度も客観的なチェックを受け、軌道修正する。
- チームB：メンバー同士の評価を実施し、提案発表ではゲスト（社会人）に審査してもらう。

チームA

フードロスをテーマに考えたグループ

1. 課題設定
↓
2. アイスブレイク
↓
3. 目標の共有
↓
4. ブレインストーミング
↓
5. 計画づくり
↓
6. 役割分担
↓
7. 情報収集
↓
8. 中間発表
↓
9. 情報の整理・分類
↓
10. 情報の補充
↓
11. 再整理
↓
12. 論点の明確化
↓
13. 発表準備・練習
↓
14. 提案発表

チームB

若者と選挙をテーマに考えたグループ

1. 課題設定
↓
2. アイスブレイク
↓
3. 懇親会
↓
4. 情報収集（学生の視点でまず調べる）
↓
5. ゲスト講演（社会人の話を聞く機会）
↓
6. 目的・目標設定
↓
7. テーマの洗い出し
↓
8. 目標・テーマの発表
↓
9. フィールドワーク
↓
10. 中間発表
↓
11. 発表準備・練習
↓
12. 提案発表
↓
13. 審査

初対面のグループならアイスブレイクをしっかり懇親会で仲良く！

皆が自分の考えを出す。聞く側が否定しないことで、話しやすい雰囲気を

役割は具体的に。本人の意思を尊重しつつ、時には巻き込んだり！

中間報告や中間発表をして、途中で見直しや確認を行うのも大事

インタビューやアンケート調査などで現場の声を集める

発表の準備は入念に。グループ以外の人に発表をみてもらうのもよし

● 模範解答はありません。テーマや内容によって、最適なプロセスは違ってきます。

3節　伝えて共鳴する

Step 2. 伝える工夫

テクニック編

1. ポイントを絞る

- 一番伝えたいことは何ですか。思いは絞ることで、相手に届きます。

3項目に絞ってアピール！

- 知っていることを何でも入れたくなる気持ちを抑えて、枝葉末節は切り落とす。
- 皆が知っているようなことをダラダラ書くのも感心しません。

プレゼンテーションのコツ！

リハーサルをしっかり！

①原稿は見ない！
（画面をそのまま読むのもＮＧ）

②はっきり話す！

③相手の反応を見る！

注：時間を守るのは最低限のマナー。
「発表時間に遅れない」
「制限時間を守る」
（制限時間ぴったりくらいがベスト！）

恥ずかしがらずに
発表者になりきって！

2. 具体的に表現する

- 身近な事例、共通の話題で説明します。
- グラフや写真、イラストなどのビジュアルでわかりやすく。
- 目標を明確に。フロー図などで進め方(プロセス)を見える化することも大事。

目で見てわかるようにすると
自分でもわかりやすくなる

3. 聞く側になって確認

- 情報の漏れや、論理の飛躍があると、聞いている人は不安になるものです。
- 言いたいことを話すのではなく、聞く人の気持ちで考えます。

聞く側になると
気がつくこともある

Step 2. 伝える工夫

見やすい！　伝わる！　パワーポイントのコツ

① まず結論でひきつける

一番初めに「なぜこのテーマを選んだのか（問題意識）」と「結論（提案）」を伝えてから、根拠や詳細を説明します。

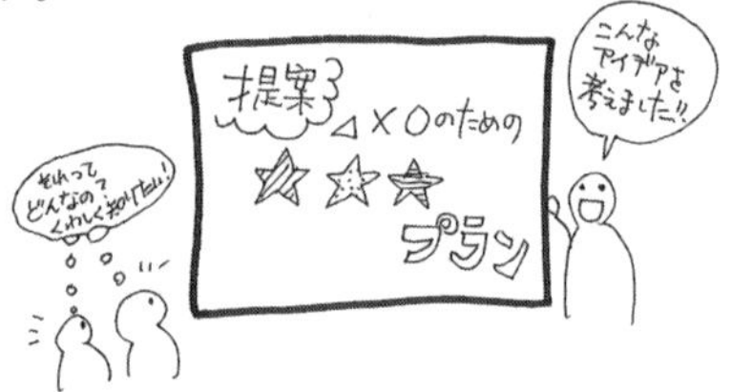

結論で「中身を聞きたい！」と思わせる

②データ（数字）と情報ソース

根拠となる数字があるとぐっと説得力が増します。情報元を記載することも忘れずに。

統計データやアンケートの
裏づけで信頼性アップ

③具体的に表現する

身近な体験を織り交ぜることで、聴き手に親近感を持ってもらえます。

体験談が入ると
わかりやすい！

④文字は大きく、色は３色以内

書いてあるメッセージは一目で伝わるように。足りない情報は口頭でしっかりと。

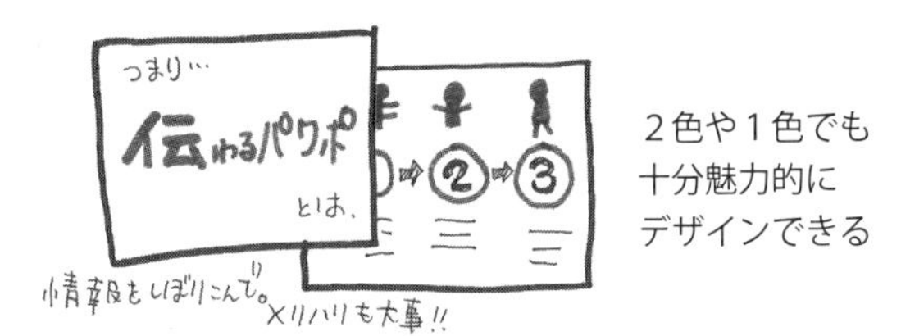

２色や１色でも
十分魅力的に
デザインできる

⑤つめこまない！

写真を何枚も入れたり、あれもこれもと情報を掲載しても、結局どれが大事かわからなくなります。

一番伝えたいことはどれ？

Step 2. 伝える工夫

ツール編

シンプルで使いやすい分析手法

① 6W1H

企画書などに必須の項目。
アイデア出しにも使える。

Who（誰が）
Whom（誰に）
When（いつ）
Where（どこで）
What（何を）
Why（なぜ）
How（どのように）

②ベン図

分類や比較のキホン。

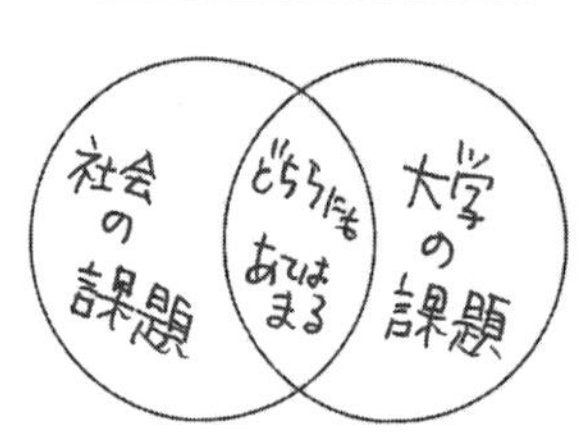

③メリット・デメリット

強み・弱み、メリット・デメリットなど、何でも双方向で考える。

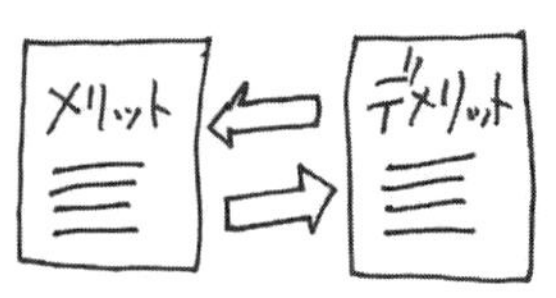

双方向から考えることが大事

④ 3C分析

ビジネスではよく使う。３方向の視点で考える。

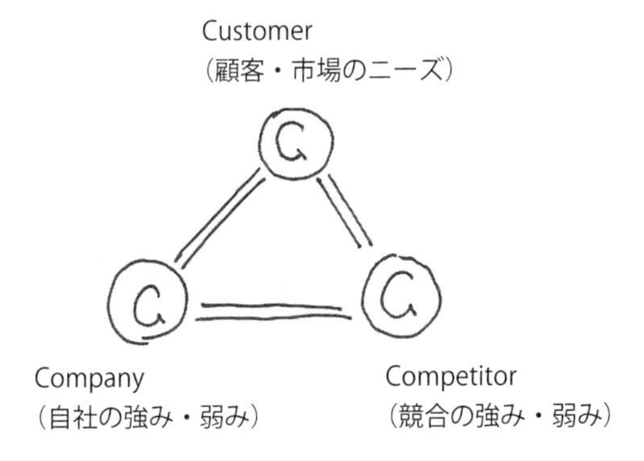

⑤ 3点セット

「これまでの経緯、歴史沿革」「現在の状況、広がり」「数字データ」で分析する

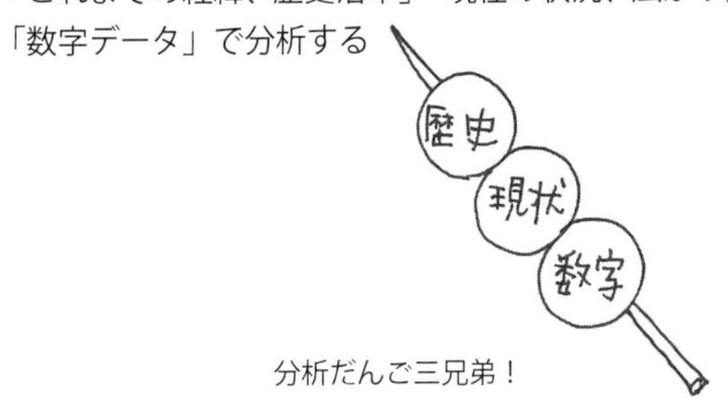

分析だんご三兄弟！

Step 2. 伝える工夫

失敗しないグラフの選び方

「何をいいたいのか」で最適なグラフは違う!!
一目でわかるグラフを選ぼう。

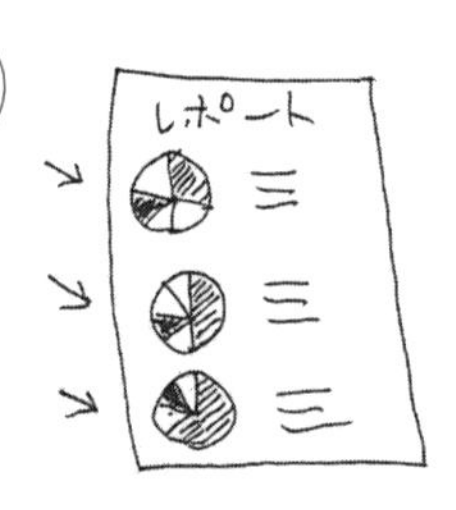

なんでもかんでも円グラフを使っていませんか？

①円グラフ

・全体の中で何がどのくらいの割合で構成されているかをみる。
・基本は12時の位置から時計回りに、大きい順に並べる。

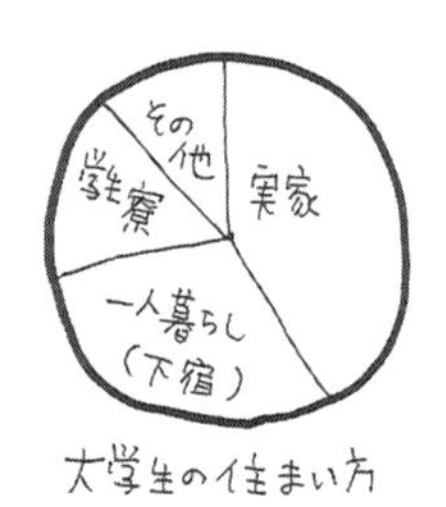

大学生の住まい方

②棒グラフ

・棒の高さ（長さ）でデータの大小を表す。
・並べ方に決まりはないが「データの大きい順」「五十音順」「時系列」「質問票の順」などわかりやすい方法で。

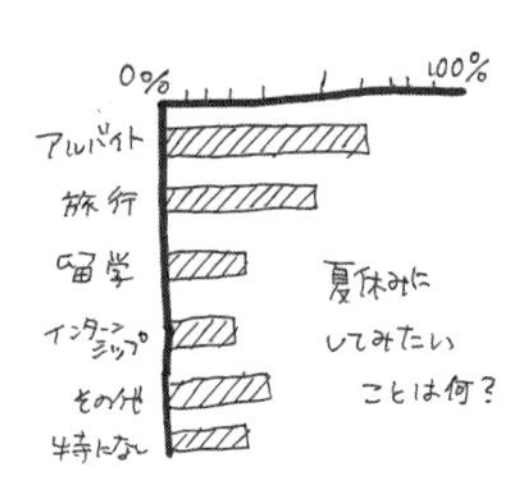

③折線グラフ

・時間軸に沿ってデータ(数量)の変化をみる。
・複数のデータを１つのグラフに重ねて比較することもある。

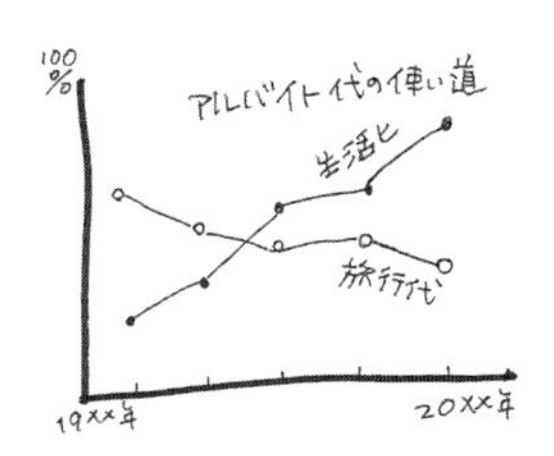

④帯グラフ

・ある構成比と別の構成比を比較する。
・複数の円グラフデータを比較するようなもの。

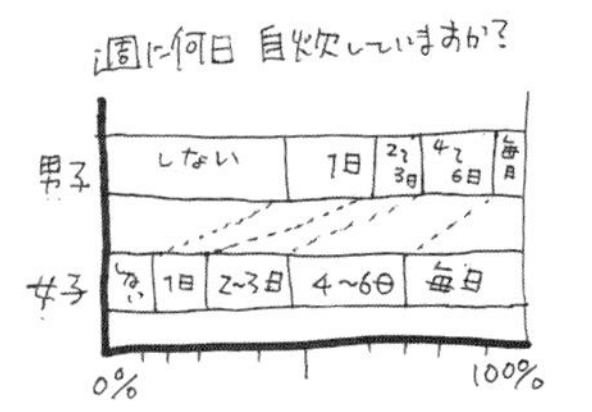

⑤レーダーチャート

・複数のデータ(指標)を１つのグラフに表示して全体の傾向をつかむもの。
・一般的に、外にいくほど大きい(良い)。

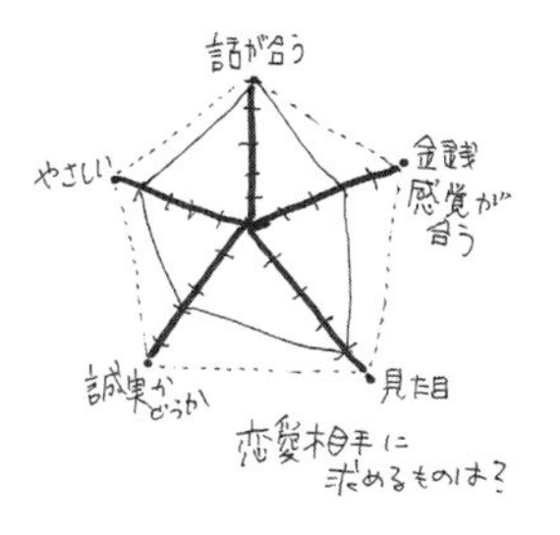

Step 2. 伝える工夫 ～ツールを使い分ける①

アウトプット編

1. LINEとメール
～使い分けが肝心！

- LINEとメールは用途が違います。メールは手紙を簡略化したもの。LINEはグループや友達との連絡用。
- LINEは親しい人用、仕事の時や目上の人にはメール。

ビジネス的連絡は、
メールできちんと！

メールの書き方事例

・宛先を知らせたくない時
・一斉メールを送る時に個人情報を保護するために

・メールでは宛名が必須！

・経緯を簡単に述べる

・内容概略を伝える

・相手の都合を聞いてからなので来てもらえるという前提で話を進めてはダメ！

・希望日は具体的に、選択肢を必ず

・返信期日も無理のない日程で書いておく

・署名は忘れずに！

宛先 yamada@mail.jp

Cc okamoto@mail.jp Cc で関係者と情報を共有しておく

Bcc

件名 ご講演のお願い（□□大学 松本太郎）

タイトルで
内容がわかるように

本文

ダイガク株式会社　・相手の方の名前は間違わないように
営業部　山田総一郎様

・導入のあいさつと名乗りを忘れず

初めまして、突然のメールで失礼いたします。
□□大学 経営学部２回生の松本太郎と申します。

貴社の△△△の取り組みに大変感動し、私たち大学生が企画し運営する講座に、ぜひ講師としてお越しいただきたいと思い、ご連絡させていただきました。

講座の内容は、○○をテーマとした□□というものです。講演時間は60分、その後30分の質疑応答の構成で考えております。
突然のお願いで恐縮ですが、ご検討の程、宜しくお願いいたします。

日時としては、●月●日13時～14時、または●月▼日15時～16時のいずれかを希望しております。
上記日程でのご都合はいかがでしょうか。

お忙しいところ申し訳ございませんが、ご出講の可否について、○月○日頃までに下記までご返信いただけますでしょうか。
どうぞよろしくお願いいたします。

＝＝＝＝＝＝＝＝＝＝＝＝＝＝＝＝＝
松本太郎
□□大学 経営学部２回生
090-000-0000
matsumoto@mail.jp

Step 2. 伝える工夫

2. 作文・レポート・論文 ～ここが違う

- 要求される文字数、期待される内容、書き方、全て違います。
- 作文では自分の気持ちを素直に書きます。
- レポートでは、事実の羅列（られつ）や感想に終わらず、自分なりの意見について根拠をあげて、論理的かつ明快に、説明することが必要です。
- わかりやすい文章を書くためには、書く前にしっかりと計画し、書いてからも読み返してみることが大事です。

	作文	レポート	論文
文字量	原稿用紙（400字）数枚	A4で2～10枚程度	A4で50～100枚程度
書き方	•人に分かりやすく!! ・起承転結 ・5W1Hを使う	•自分の意見を述べる!! ・すでにあるものの内容を要約 ・自分なりの視点で	•新しい発見を主張!! ・過去の論文や新たな実験・調査から論理的に証明
内容	感じたこと，思ったことを素直に書く	テーマに関して、気づいたこと、調べた結果に対する自分の意見を書く	自分の考えや仮説を、実験や調査で実証し、新しい発見を論理的に説明
信ぴょう性	裏付けは不要　×	大事　○	必要　◎
新奇性	不要　×	独自の視点必要　○	必要　◎
資料	不要	必要：説明のための参考資料（出典を示す）	必要：発見を証明するための独自の資料

どんな場合でも、常に読む相手を
意識して書くことが大事！

■ 読みやすい文章にするために 〜必ず推敲（すいこう）する

- 段落を使う：内容の切れ目や場面転換の部分では段落（改行・一字下げ）を入れると、文章のかたまりがわかりやすくなる。
- 句読点の目安：句点（。）までの一文は短く。その間に読点（、）を１〜２個入れると、リズムがよくなり読みやすくなる。
- 文体の統一：用途が違うので、「です・ます」調（手紙やメール）と「だ・である」調（論文など）を混在させない。
- 繰り返しを避ける：同じ文末（例：〜思った。）や表現ばかり使うと、くどくて退屈な文になる。
- 話し言葉を書き言葉に整える：すごく→とても、ちょっと→少し　など。
- 引用表現：本やネットに書いてあった文章を使う時は「　」や改行で区別。
- 読み手の立場で何度も読み直して、推敲を！

Step 2. 伝える工夫

■ 取材記事を書く

- あるテーマについて見たり聞いたりして調べることが取材です。人に会って話を聞くこともあれば、その場所を訪問することもあります。
- 集めた情報は、記事としてまとめることで人に伝えることができます。
- 記事を書く際には 6W1H(p.112)を意識することが大事です。新聞記事を読むこともいい訓練になります。

注：記事が書けたら、取材先の人に校正刷りをチェックしてもらうことを忘れずに。思い込みで間違った記載をしないようにすると同時に、取材時とは状況が変わっている場合はそのことを反映します。

■ 伝え方の極意！

ぴったり！

相手の年齢や立場で、書き方や伝え方も変わります。友達なら何でも「LINE」で、あいさつ文もなく連絡すれば済みますが、社会ではその常識は通用しません。

はっきり！

忙しい人相手には、長々と書くより短くても過不足なく伝わる文章を。言いたいことは最初に書くと、理解しやすくなります。

くっきり！

どんな良い提案も、その良さが伝わらなければ意味はありません。文字だけでなく、表や図、写真、使えるものをフル活用すると効果的。

正直に！

でも、決めつけると、相手は思考停止します。わからない点や解決できていないところがあれば、ごまかさずはっきり示します。

Step 2. 伝える工夫

■ インタビューをまとめる

- ある人に対して掘り下げて話を聞くことがインタビューです。インタビューは取材の手法の一つで、基本は一対一で行います。
- インタビューする人をインタビュアー、される人をインタビュイーといいます。
- 相手の言葉と自分の言葉はきちんと区別します。

メモや録音をしっかりとって
インタビュー当日の様子が伝
わってくるようなまとめ方を！

■ 書き方の3つのタイプ

① 対談形式（インタビュアーの問いにインタビュイーが答える形）

記者Ａ：どうしてこちらの会社に入ろうと思われたのですか？
□□氏：昔から旅行が好きで、航空業界にはとても興味がありました。そこで…
記者Ａ：印象に残っているお客さんはおられますか？
□□氏：まだ入社して数ヶ月の頃でした。上司と…を担当していたのですが…

② 一人称（インタビュイーが語る形）

ここに就職を決めたのは、昔から旅行が好きで航空業界に興味があったことが大きいですね。でも…だったので、…だったりしたんです。そこで出会った人と話している時、こういう働き方があるのを知って…。（□□氏談）

③ 三人称（インタビュアーの視点で書く形）

元々大の旅行好きで、学生時代には休みがあれば旅行をしていたという□□氏。航空業界に関心があった彼が△△空港への就職を決めたのは、…がきっかけだったという。

Step 2. 伝える工夫

3. ポスターとチラシ
〜ビジュアルで見せる時のポイント

講演イベントチラシ事例

ポスターの場合は
効果的なアイキャッチで
まず目をとめて
もらうことが重要

何？ と思わせる
キャッチコピー

情報のメリハリを大きくつけて、伝えたいことをしぼりこむ

「チラシを貼れば人が集まる」は、大間違い！

① 貼っただけでは人は見ているだけ
② 友人知人の個別の声かけが効果的
③ いろいろな手段を使う
　（メール、SNS、ポスティング、ビラ配り…）

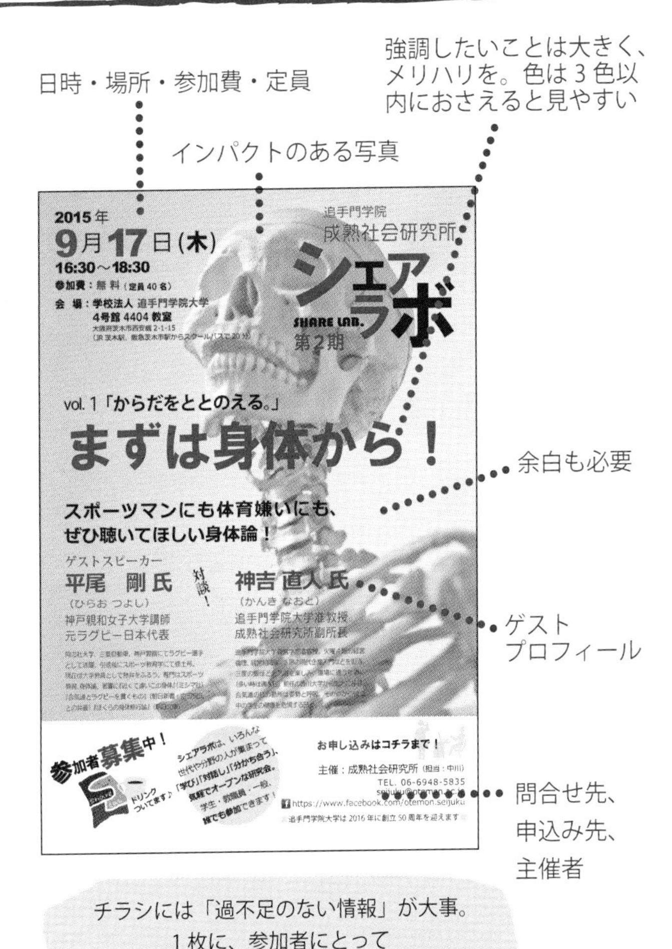

チラシには「過不足のない情報」が大事。
1枚に、参加者にとって
必要なことが全て入っていること

Step 2. 伝える工夫

心がまえ編

感受性豊かに、相手を感じて、受け入れてみる。その後に必要なのは、距離を縮めるための想像力です。見えない部分を気づかう想像力が必要になります。

創造力があっても、想像力がなければ、一緒に仕事をするのは難しい、と思います。

1. 相手を意識するコト

- 自分の都合だけで、メールを送ったり、文章を書いたり、話したりしていませんか。
- 相手のことを知って、相手が求めているのは何か、を意識することがとても大事。
- まずは、相手の立場、相手の事情、自分との距離・関係性を意識することです。

相手はどんな人？
“一方通行”にならないように

2.話すときに意識するコト

- 一対一では：相手の目を見て。
- グループのとき：一人の人だけではなく、いろいろな人と話すこと。
- 聴衆の前で：どんな人が聴き手か、反応をみながら話していますか。
- 下を向いたまま話したり、原稿を読むだけなのは、失礼になります。

目を見て、
明るく、笑顔で！

3.書くときに意識するコト

- 読み手に誤解を与えるような書き方をしないこと。
- 無理を強いることがないように、丁寧でかつ簡潔に。
- 天才の文章は、練習しても書けません。でもいい文章は、練習すれば必ず書けます。

Step 3. 関係を創る

1. ゴールを意識する
〜本来の目的は何ですか？

- 見た目の成功や参加者数を追求する間に、真の目的を忘れていませんか。初心に帰り、本来の目的に立ち戻って考える習慣を。
- 仲間うちだけで話していると、いつの間にか大切なことを忘れがちです。年齢や立場の違う人の意見にヒントがあります。
- 新しいことや改革には反対がつきものです。最後の判断は、自分自身に問いかけて。
- 本当によいことであれば、理解者や仲間が必ず現れます。「徳は孤ならず、必ず隣あり」です。

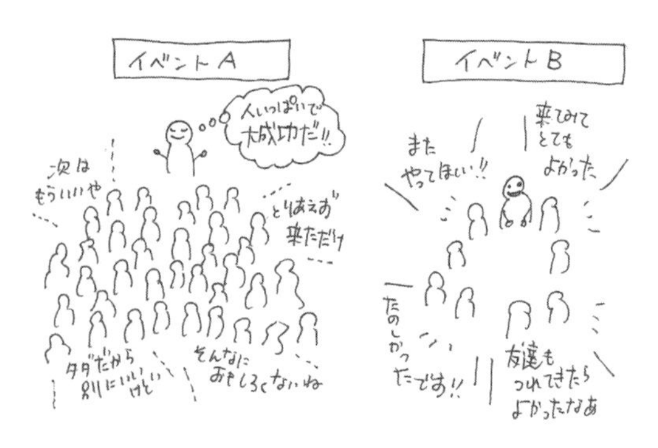

あなたは、どちらを目指していた？

2.できることを持ち寄る
〜 Win-Win の関係づくり

- バラバラだから「考え」も「できること」も広がります。上下ではなく、横の関係でつながると、一人ひとりの力が活きます。

- 違いを認め、それぞれができることを持ち寄れば、同じような人が集まるより、絶対強い。相乗効果が生まれます。

- 信頼関係は計算通りの 1+1=2 ではありません。時には失敗に付き合うことになるかもしれません。でも長い目でみれば、帳尻が合うものです。人を信頼できる、そんな幸せなことはありません。

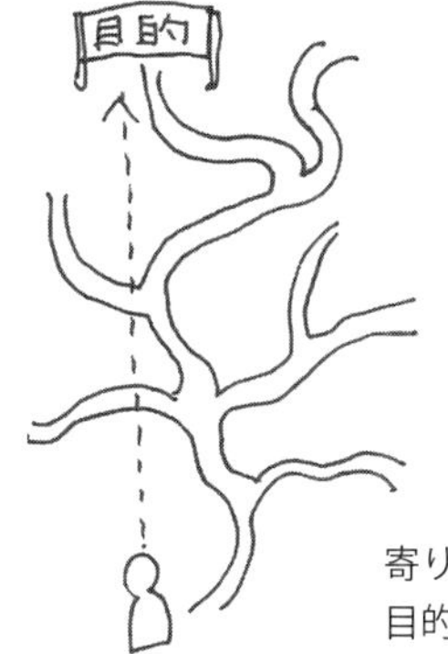

寄り道ネタはたくさんあれど、
目的にたどりつくことを忘れず

ロジコミ・メソッドを
いろんな場面で
使ってみたら…

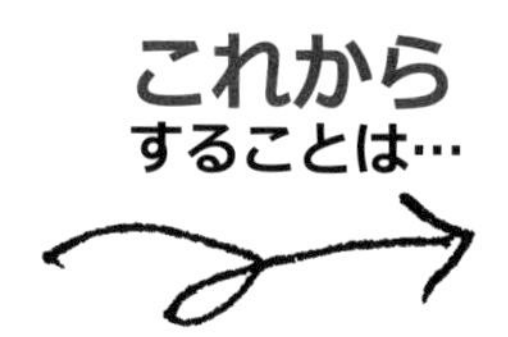
これから
することは…

やる気スイッチをオンにして、
半歩前へ、踏み出しましょう。
後は、場数を踏んで、腕をあげ、
素敵な人に出会って、センスを磨くことです。

ロジコミ・メソッドを使って
アクティブ・ラーニングのコツは
つかめたでしょうか。

アクティブ・ラーニングの 評価とは？

アクティブ・ラーニングでみなさんが
一番気にしていることは、きっと
「どう評価されるのか？」

アクティブ・ラーニングを評価する時、グループワークの最終成果物（アウトプット）が一番大切と思うかもしれません。実は、そこに至るまでにチームとしてどれだけ創造的な過程（プロセス）を経たか、ということの方が、もっと重要です。

コミュニケーションの難しいメンバーがいたり、声の大きな人の考えでまとめて、的はずれなものになったり、発表で目立った人だけが評価されたり、何もしなかった人がグループの提案内容だけで良く評価されたり…。

そんながっかりした経験はありませんか？　その上、学んだ効果が実証されるのは、ずっと後になってからです。

少しでも皆の納得感を高めたいと、自己評価や他者評価、プロセス評価やレポートなども活用して多角的な評価を、教員も考えています。でも、正直なところ、まだ発展途上と言えるでしょう。

私たちは、次の３つが実現できていれば、このアクティブ・ラーニングは成功したと言えると信じています。

（1）課題と目的の共通理解があった。

（2）できることを持ち寄って結果につなげることができた。

（3）みんなにも考えを伝えることができた。

グループワークを通じて「あ、これだ！」
という新しい発見につながればよいのです。

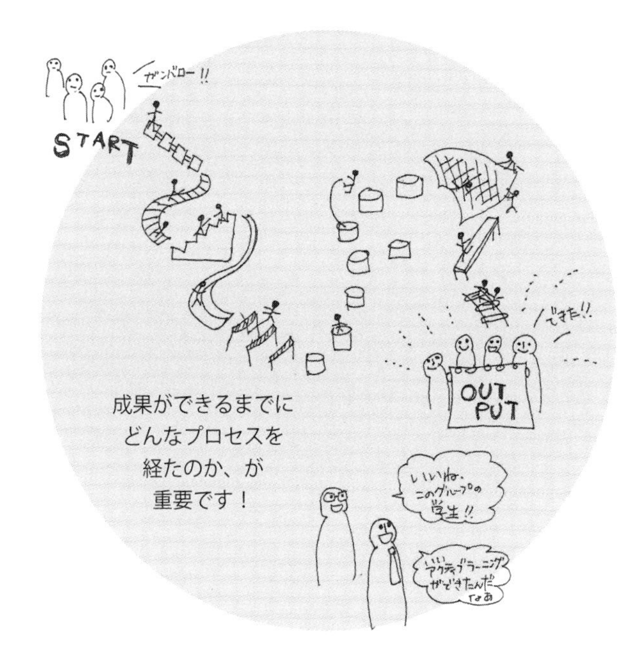

グループでの学びの探訪

人は生きていくために学び続けます。もちろん一人で学ぶことも大事ですが、共に学びあうことで、思いもよらなかったアイデアが生まれたり、気づきを得られるという経験をしたことがあるのではないでしょうか。

この章では国内外の共に学びあう現場で体験したことを紹介しています。わかったことは、いつでも、どこでも、だれとでも、学びあうことができ、ちょっとしたコツで、その学びは深くなっていくということです。

アフリカに、「早く行きたければ一人で進め、遠くまで行きたければ皆で進め」ということわざがあります。共に学びあえば、知らなかった世界へ自分を誘(いざな)ってくれるでしょう。

①

いつでも、どこでも、だれからでも

シューマッハ・カレッジでの学び

イギリスにあるシューマッハ・カレッジには、オルタナティブ(平和で自然と調和した持続可能)な社会や経済について学ぶために、世界中から大勢の人がやってきます。このカレッジには、少人数制の大学院修士コース(1年間)と多種多様な短期コース(1～3週間)があり、全寮制で寝食を共にしながら学びます。校舎はかつてお城だった建物で、庭も広く趣があります。

立ち上げたのは、インド出身のサティシュ・クマール(以下、サティシュ)という思想家で平和活動家です。サティシュは20歳の時、無一文でインドからアメリカまでの約13,000キロの道を2年半かけて歩き、当時核を保有している国(ロシア、イギリス、フランス、アメリカ)の首脳たちに“平和のお茶”を届けました。そんなサティシュは、周りの人々から請われて、まずは子供たちのためのスモール・スクールを、そして、大人のためのカレッジを立ち上げました。

カレッジの朝は瞑想(めいそう)から始まります。朝食の後は、カレッジに集う全員でのミーティングです。学生、スタッフ、教員を入れた最大40名が、皆で、一堂に顔をあわせ、今日のスケジュールの確認にとどまらず、提案や質問などがある人はその場に投げかけます。時には、詩を詠む人がいたり、輪になって全員で隣の人の肩を揉(も)んだりもしました。

ミーティングの後は、班に分かれて学びの場を整える時間で、校舎の掃除をする班、ガーデニングをする班、食事の準備をする班などがありました。午前の授業が始まるのが 11 時過ぎからで、世界中から来られたエキスパートの方々による講義が 2 時間程ありました。お昼の後は、フリータイムがあり、午後の授業があり夕食です。夕食の後は、ホールがバーになりお酒を飲みながら、持続可能をテーマに談義が始まったり、月曜日はサティシュを囲んでのお話会もありました。

私が参加した時のテーマが「持続可能な都市」だったこともあり、ブラジル、メキシコ、ニュージーランド、スイス、スペイン等、世界中から人々が集まっていました。職種も様々で、ブラジルで持続可能な共同体を創ろうとしている人々、建築家、公務員、国連関係の仕事をしている人などでした。

カレッジでは、オルタナティブな社会や経済について学ぶのですが、その学び方もユニークです。コース開催中は、皆がカレッジに滞在しており、寝食を共にします。ですから、だれかと顔をあわせれば、いつでも学びが始まります。朝のミーティングは、グループでの学びを円滑にするための場になっています。そして、ガーデニングをしながら、料理をしながら、掃除をしながら、手を動かしながら、持続可能について語り合う機会となり、それが気づきにつながります。また、どこでも学ぶことができます。瞑想ルームで、教室で、ガーデンで、キッチンで、食堂で、森で学ぶことができます。そして、だれからでも学べます。各コースには、世界中から各分野のエキスパートの講師陣がやって来られるので、その方たちから学べることは言うまでもなく、世界から集まって来ている多彩な体験を持つ参加者たちからも学べるのです。

まだコースが始まったばかりのある日、ブラジルから来た人が、「自分たちが高いお金を払ってここに来たのは、「持続可能な都市」について学ぶためであって、掃除や料理をするためではない」と訴えました。それに対して、サティシュが答えていたことは、「いつでも、どこでも、だれからでも学べる」ということだったと思い返しています。

写真1　シューマッハ・カレッジの中庭

写真2　シューマッハ・カレッジの参加者

②

ずらして学ぶ

つながりを取り戻すワーク

「つながりを取り戻すワーク」は、米国の仏教哲学者で社会活動家でもあるジョアンナ・メイシーによって生み出されました。世界中の教育者や市民活動家によって実践され、社会的・環境的に困難な状況に置かれている人たちが、絶望や無気力を乗り越え、互いに手を取り合って能動的に行動を起こしていく力となっています。このワークは、彼女の50年以上にわたる平和、社会的公正、環境分野における活動家としての経験に加え、仏教、システム理論、ディープ・エコロジーなどの学識を統合して作られた個人や社会に変容をもたらす理論的枠組みと、それを実践するためのワークショップ(WS)から成り立っています。

このワークには多種多様なWSが用意されており、実際に体験することで、学びを深め、人や社会とのつながりを取り戻していくのですが、「ずらす」ことが鍵になっています。

代表的なWSのひとつに、「全生命の集い」というものがあります。これは参加者全員がそれぞれ、人間以外の存在(例えばクマや、カエルや、狼など)になりきり、自ら作ったお面(写真3)をかぶって、今、自分たちの身に起きていること、自分たちの周りで起きていることについて、語り合うことから始めます(写真4)。そして、この原因をつくった人間に対して物申し、最後には、どうしたらこの問題を解決できるか、人間にアドバイスをするという流れになっています。参加者は、人間から別の生命になりきる、つまり存在を「ずらす」ことで、それまで気づかなかったことに、気づきを得ていくのです。

また、未来の人になり、今を生きている人たちの言葉に耳を傾けるという WS もあります。参加者の半分は、今この危機の時代を乗り越えた後の未来からやってきた人になり、半分は今を生きる人となります。そして、二重の輪になって座り、内側の今を生きる人たちは、いかに今が困難であるかを、目の前の未来の人に訴えるのです。未来からやってきた人は、それに黙って耳を傾けます。中には訴えるうちに泣き出してしまう人もいました。この WS では、時間軸を未来に「ずらす」という手法が使われています。

他にも、疑似的に死を体験するという WS もありました。生きている状態から、疑似的に死んでいる状態に「ずらす」ことで、気づきが促されるのです。

このように、「つながりを取り戻すワーク」は、存在や、時間軸や、状態を「ずらす」という体験をすることで、自分は自分自身、周りの人たち、人間以外の存在、祖先や子孫、死者ともつながっていることに自ら気づくことになるのです。

写真３　存在のお面づくり

写真４　全生命の集い

③ 自分と向き合い、自然から、まねるを学ぶ

山伏修行

山形県の出羽三山では、古くから羽黒修験道の山伏修行が行われています。山伏とは、修験道の行者のことで、山に伏して修行する人です。羽黒にある宿坊の一つ大聖坊での山伏修行は、2泊3日で年に4〜5回開催されます。定員は30名なのですが、ここ数年、受付開始と同時にいっぱいになるほどの人気で、しかも、参加者の半分以上が女性であることもあり、山伏修行が特に女性たちの間で注目され始めています。

さて、山伏修行について簡単に述べると、俗世からいったん離れ白装束で、徒走(金剛杖を持って歩く)し、勤行をし、座禅をし、滝行をしたりします。修行中は、先達(山伏修行の指導者)の指示に従い、全て「ウケタモウ(ハイわかりました)」で返します。「ウケタモウ」以外の言葉を発することはできません。また、あらかじめスケジュールも知らされず、時計も持てません。法螺貝を合図に行動するのですが、いつ法螺貝が鳴るかわからないので、休んでいる時も、緊張感を持っていなければなりません。当然、私語は厳禁です。スマホを見ることもできません。

修行中は、丁寧な説明は一切ありません。先達や修行経験のある人たちなどの行動を見て、それを真似して学んでいきます。この点が、安心・安全で居心地の良い場をつくるために、丁寧な説明から始めるワークショップなどとは

大きく違う点です。山伏修行は、一歩間違えば危険な目にあいかねないからこそ、永い時を重ねて安心・安全の場がつくられているのですが、修行をやってみないとそこに気づきません。また、世俗から離れることは、決して居心地が良いわけではありません。そんな非日常の中で先達の動きを真似するためには、どんな時にも、観察していることが大事なのです。

山伏修行は、大自然の中に身をおく修行です。出羽三山の中でも月山(がっさん)は、標高 2000 メートル近い山です。高山植物が美しく、眺望(ちょうぼう)もすばらしく、登山客にもとても人気の山です。また、夏でもスキーができる場所としても有名です。修行の 2 日目には、白装束と地下足袋の恰好(かっこう)で金剛杖を携え、月山徒走(がっさんとそう)(写真 5)をします。修行は天候が不順でも中止ということはなく、夏でも山頂付近は冬のように寒い時もあり、時には台風並みの風が吹いたり、大雨が降ったりもします。もちろん、雲一つない晴天で、ダイナミックな景色を味わうこともあります。おしゃべりをするのでもなく、美しい景色だからといって写真をとることもありません。ただひたすら一歩一歩、大地を踏みしめていきます。時に風に吹き飛ばされそうになり自分の中で警報音が鳴り響いたり、息をのむような美しい景色に出逢い生かされていることに感謝したり、滝行(写真 6)で痺(しび)れるほど冷たい滝に打たれて頭が真っ白になったりと、修行体験を重ねていきます。山伏修行は大自然に身をおくことで自然から学び、先達の動きをまねることで学ぶとともに、自分自身と向き合う時間となります。修業が無事終了した後、それを祝した盛大な食事会が開かれます。その席で参加者は順番に自己紹介をし、初めて自分が何者であるかを語り、3日間の修行を振り返ります。不思議なもので、お互い語り合うこともしていないのに、共に修行を体験した仲間として既に学びの共同体ができあがっているのです。

写真5　月山徒走

写真6　湯殿山での滝行

④ ガーデンからキッチンから学ぶ

エディブル・スクールヤード

アメリカ、カリフォルニア州のバークレーにあるキングス中学校を、世界中から多くの人が訪れます。この中学校は、アリス・ウォータースが、エディブル・スクールヤード(食育菜園)を始めた場所です。学生時代にフランスに留学したアリスは、パリの街角のマルシェに感銘し食に目覚めました。モンテッソーリ教育を実践する学校で教鞭(きょうべん)をとった後、バークレーに、地産地消のオーガニックなレストラン、シェ・パニーズを立ち上げました。今から半世紀前のことです。オーガニックな食材がなかった時代に、自分たちで畑を借りて、野菜を作ることから始めました。シェ・パニーズは、米国のオーガニックレストランの先駆けであり、今や、世界一予約がとりにくいと言われるほど、人気を博しています。

そんなアリスは、近所にあるキングス中学校が、荒れているのに心を痛めており、ある時地元紙のインタビューに答えて、その問題を解決するために彼女の考えを語りました。それを、たまたま目にした当時の中学校の校長先生が、アリスに声をかけ、そのアイデアが実現されたのです。

彼女の考えとは、駐車場のコンクリートを剝(は)がし、そこに、ガーデンとキッチンをつくり、生徒は種まきから料理作りまでを実地で体験しながら学ぶというものです。そして、数学、国語、社会、理科などあらゆる教科において、カリキュラムの中に必ずガーデンとキッチンで学ぶ時間を設けました。

このプロジェクトは、エディブル・スクールヤードと呼ばれるようになりました。例えば、社会の授業では、外国から来ている学生の母国の料理をキッチンで一緒に作り、その時の料理に必要な食材は、ガーデンで収穫するのです。このプロジェクトには、教員だけでなく、地域の人たちや保護者が、様々な形で関わっています。シェフやガーデナーなどのプロに加えて、ガーデンの手入れや、動物の世話、キッチンの管理などもそんな人たちが担っています。荒廃していた中学を蘇らせたという評判が評判を呼び、エディブル・スクールヤードは、全米、そして全世界に広がっていきました。

キッチンの入り口付近には、アリス・ウォータースの哲学として、「旬のものを食べる」、「地元のものを食べる」、「サステナブルに食べる」、「ファーマーズマーケットで買う」、「野菜を育てる」、「コンポストを活用したりリサイクルをする」、「五感をフル活用しシンプルに料理をする」、「テーブルセッティングにも気を配る」、「一緒に食べる」、「食べ物は大切」、「一緒に料理をする」といった言葉が掲げられていま

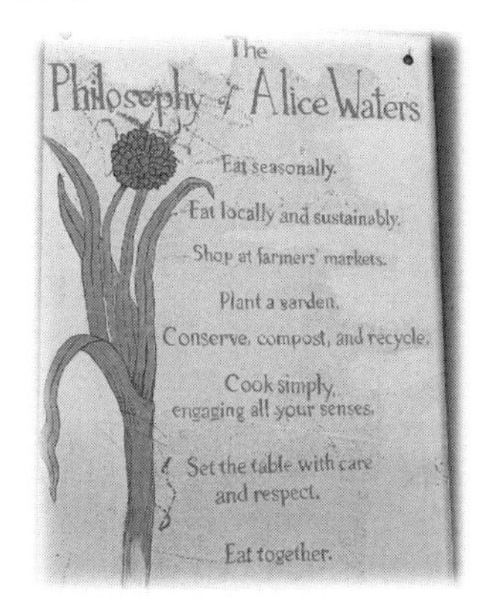

写真7　アリス・ウォータースの哲学

す(写真 7)。

キッチンの壁には、カラフルなイラストやサインが貼られていて、いちいち人に聞かなくても、それらを見て自分で学び、行動できるような工夫がされていると、教えていただきました。黒板には「あなたの食の選択に影響を与える事柄は何か？」というテーマでディベート結果が書かれていました(写真 8)。

エディブル・スクールヤードの取り組みは、「食」という、誰にとっても大事なものを中心に据え、生徒、教職員、周りの大人たちを巻き込んでいきました。知識だけを学ぶのでなく、生徒たちは、教室を飛び出し、ガーデンやキッチンで実践を通じ、五感で学んでいきました。さらに、単に食するだけでなく、皆で、いかにおいしく、楽しく、美しく、いただくかにもこだわりました。アリスは、この活動を、「おいしい革命」と名付けました。

写真 8　キッチンの黒板

ロジコミ小事典

　思考は情報との格闘です。調べる、集める、分類する、名前をつける、グループ化する、関係を探る、といった作業が準備段階。そこで発想を得た後は、増殖させる、網羅(もうら)する、系統立てる、といった模索が続きます。そして最後には、重なりを整理する、欠落を見つける、複数の観点から解析する、といった点検が欠かせません。

　グループワークとなるとさらに、共有する、分担する、統合する、といった連携が必要になります。しかし、グループワークは他人との協働作業。人はなかなか思い通りに動いてくれません。そこで、メンバーの長所を発見し組み合わせていく、という役割を、あなたが担う必要も出てくるでしょう。

　そんな時に役に立つ方法と道具をここにギュッと詰め込みました。グループワークを上手く展開するための6つのティップス(ちょっとしたコツ)と、一人で考えたりみんなの知恵を統合・発展させるために役立つ13の思考ツールです。上手に使いこなして、創造的な思考と楽しいグループワークを実践してください。

①
グループワークのコツ

1．“シマ”作り
〜座席から始まるグループワーク〜

机とイスが動かせる教室なら、是非、グループごとに“シマ”を作りましょう。前の人が首を回して後ろの人と話すのはいかにも不自然。少し離れた位置にいるだけでも、距離とともに心も離れるもの。活発な議論は期待できません。向き合うように机を並べ替えることからグループワークは始まります。

人数は、経験からいうと、ベストは４人。せいぜい５人まででしょう。クラスの人数次第でもっと多くの人数でグループを作る場合もあるでしょう。しかし、６人から７人になると、途端にグループの求心力は失われてしまいます。できる限り、４〜５人に抑えたいものです。それ以上の場合は、できる限り接近した形で座席を作ってみてください。

「さあ、机を動かして、グループごとに“シマ”を作りましょう」。そう指示すると、どのように反応するでしょうか。だれ一人机を動かそうとしない。数人が動き出す。それにつられて他の人も動き出す。なんとなく、みんなが動き出す。また、「これをここに移動して、これは、こっちにしたほうがいいかな…」などと、言葉を発しながら他の人を誘導し始める人もいるかもしれません。そんな人には、是非、さりげなく褒め言葉を掛けたいものです。
“シマ”作りは、これから始まるグループワークの前途を占う作業でもあり、単なる場所作りではなく、協力しなければ始まらない大事な作業です。それ自体で、もうグループワークは始まっているのです。

2. 指示ははっきりと
～戸惑いと不安を解消するために～

「では、自己紹介を始めてください」と言われても、おそらく多くの人はきっと戸惑うはずです。とくに初めて会う人ばかりのグループではなおさらです。「だれから始めるんだろう」、「私から話していいのかな」、「一番目はいやだ」など、いろんな思いが、静かに飛び交うことでしょう。戸惑いと不安が渦巻く現場に、円滑なコミュニケーションなど期待できません。
「では、廊下側の前の人から時計回りの順番で進めてください」、「廊下側の前の人、手を上げてください。はい、その人からはじめて、時計回りで交代していきましょう。では、どうぞ」、「時間は一人２分間です」。このような明確な指示で、戸惑いも不安も解消するはずです。とくにグループワーク初心者や初対面同士の場合は、はっきりと指示することが大切です。
明確に伝えたいことを言葉として示すためには、指示を行うものが、グループワークの目的を明確に認識していることが必要です。なんとなく、グループワークをしてもらうといった意識では、不安や戸惑いを生み出すだけで、かえって逆効果でさえあります。目的が明確であればあるほど、指示も明確になるはずです。

あるテーマについて「個人的なことでいいですか」と言った質問にどう答えるかは、グループワークの目的に応じて異なるはずです。社会的な問題を考えてほしい場合なら、「もっと広い視点から考えてください」となるでしょう。メンバー間の親睦が目的なら、「もちろん、OK です。どうぞ自由に話してください」となるでしょう。明確な目的が、メンバー間の不安や戸惑いを払拭(ふっしょく)します。

3．アイスブレイク
〜安堵感と喜びの共有〜

初対面の人同士が出会う時、その緊張を解きほぐすための手法をアイスブレイクと呼びます。集まった人を和(なご)ませ、コミュニケーションのとりやすい雰囲気を作り、グループの課題に積極的に関わってもらえるように働きかける技術のことです。氷(アイス)のように張りつめて凍(い)てついた人の心と体の状態を打ち破る(ブレイク)ことは、グループワークにとってとても重要です。それは参加者の緊張だけでなく、教員の緊張も解きほぐしてくれるからです。

アイスブレイクにはたくさんの方法があります。アイスブレイクだけを取り上げた本もたくさんあります。ネットからもいろいろな手法を見つけることができます。アイスブレイクをするなら、ぜひ自分の持ちネタ、得意とする手法を 2 つ以上は用意しておきたいものです。やりなれたアイスブレイクは、参加者の反応を見ながら臨機応変に進める余裕も生まれます。ただ、参加者によってはうまくいかない場合もあるので、その予備としてもう１つくらいは方法を準備しておくのが安心です。

全くの初心者には、いきなり話すよりも、何かを書くという個人ワークから始めるほうがいいかもしれません。たとえば、自分の名前と友達から呼ばれていた愛称、特技、好きなことやモノ、今の気分などを枠だけ書いた紙に書いてもらい、それをグループのメンバー同士で見せ合いながら簡単に自己紹介をしてもらうといった方法です。共通点のある人を見つけたり、初めて見る言葉に「これって、なに？」と質問したりすると、意外と簡単に話のきっかけが生まれるものです。

アイスブレイクの醍醐味(だいごみ)は、さっきまで口もきいたことのない人と、数十分後には、まるで友達だったかのように打ち解けて話ができるようになった時に感じる安堵感(あんどかん)と、共感できる友人に出会えた喜びではないでしょうか。もちろん、いつでもうまくいくわけではありませんが、アイスブレイクは何回やってもいいのではないでしょうか。グループワークはアイスブレイクの延長線上にあるのですから。

４．誰でもリーダーシップ
～声を出した人は、もうリーダー～

話が弾まない、広がらない状況を打ち破るには、どうしたらいいでしょうか。初対面の人同士の場合には、よくある風景です。テーマが与えられて、話し合いを進めなければならないのに、口火を切る人がいない。そんな状況を歯がゆく思っているのは、教員だけではなく、じつはそこに参加しているメンバー自身でもあります。議論のヒントを提供することも方法の一つですが、彼ら自身のリーダーシップに期待してもいいのではないでしょうか。

もちろん、議論の方向性を示し、メンバーのモチベーションを高めながら、率先して議論を引っ張っていくようなリーダーシップを発揮するメンバーの登場を期待することは無理でしょう。でも、沈黙に耐え切れず、「どうしよう」、「どうする」、こんなため息まじりの声が出てきたら、まず一歩前進です。「○○でいいのかな」、「じゃあ、△△について、話してみる」と、さらに一歩動き出します。「このあいだ、こんなことがあってね」、「××のことは関係ないのかな」、と知らず知らずに話が展開され、自分の体験談やそれに対する反応が出てくれば、いよいよ本格的なグループワークの始まりです。

このとき、ため息まじりで発した声でも、それが呼び水になります。これはもうリーダーシップの発揮と言っていいのではないでしょうか。会社の社長やクラブのキャプテンだけがリーダーというわけではありません。ため息のような声が沈黙を破った時、思いつきでも別の話題を提供した時、相手の話に賛同して話が盛り上がった時、反対の意見を出して違う角度へと話が変わった時、いずれもリーダーシップが発揮されたと考えていいのではないでしょうか。

「どうしよう」と吐いた言葉は、現状を変えなければという危機感の表れです。その声を発した人は、実はリーダーとしての役割を果たしていたことになるのです。

5．うなずきから始まるファシリテーション
～無言の応援団～

会議などの場で、発言や参加を促したり、話の流れを整理したり、参加者の認識の一致を確認したりなど、合意形成や相互理解をサポートすることで、会議の活性化や協働を促進することを、一般にファシリテーションと言います。要は、参加者が話しやすい状況を作り出すことです。さて、話しやすい状況とはどんな状況でしょうか。

やっと自分の意見を言ったのに、何の反応もないとしたら、その人はもう発言を止めてしまうかもしれません。自分の意見は全く的外れなのか、無視されたのか、と思い、参加意欲は急速に消え失せてしまうはずです。ところが、自分の言葉に頭を上下に動かして反応してくれる人がいたとしたら、まるで応援団でもいるかのように、勇気をもらえるはずです。そう、うなずいて聞くことが、発言の促進剤になっているのです。

なんの言葉も発することなく、ただうなずくという行為が、議論を促しているとすれば、うなずきはファシリテーションそのものと言ってもいいのではないでしょうか。実は多くの教員が同じような経験をしているはずです。教壇に立つ人だけでなく、多くの人の前で話をした人なら誰でも経験することではないでしょうか。自分の言葉に大きくうなずいてくれる人がいると、ついついその人の方ばかりを向いて話をしてしまうことがあります。そして、なんとなく自信もわいてきて多少とも声が大きくなることもあります。

ファシリテーターの役割を頼まれた人は、きっと多くの人が大変だと思うはずです。しかし、話しやすい状況を作る方法は、率先して議論の方向性を提案したり、質問して議論の展開を促したりといったやり方ばかりではありません。黙ってうなずくことでも、話しやすい状況は生まれます。無言の応援団は、頭の上下だけではなく、表情でも体の動きでもエールを送っているのです。

6．グループワークの力
～より良い答えのために～

何かを目標にしてグループ活動を行うことは、他者・組織・社会に対する健全な関わり方や、主体性や協調性のバランスなどを体験的に学ぶうえで、最も基本的かつ有効な方法の一つです。その過程で、リーダーシップ、ファシリテーション、役割、さらに判断力や行動力、論理的思考力の重要性を学ぶはずです。

そうした学びの機会としてグループワークを取り入れることも重要ですが、もっと大事なことは、グループワークそれ自体が個人ではできないことを可能にする力を持っているということです。1+1 が 2 以上の結果を生み出す。「三人寄れば文殊（もんじゅ）の知恵」のことわざのとおり、より望ましい答えに近づくための重要な方法であるということです。

グループワークの力を証明する方法があります。たとえば、砂漠で遭難した時に、不時着した飛行機からかろうじて取り出した 12 の品物を、生き残るために最も重要と思われるものから順位をつけるというコンセンサスゲームがそれです。このゲームには正解があります。個人が出した答えと正解との誤差よりも、グループワークを通じて出した答えと正解との誤差が小さくなることで、グループワークの力が証明されるのです。つまり、グループで話し合うことで正解に近づくことができたというわけです。

このゲームを何度か行いましたが、残念ながら、グループワークの力を証明できないこともあります。力を生み出すようなグループにはなっていないことが、逆に証明されるというわけです。その時には、なぜ正解から遠ざかってしまったかを考えるという振り返りを行いました。力を発揮するようなグループを作るには、反省と試行錯誤を繰り返すしかないのかもしれません。

②
思考のツール

アイデアを可視化する

マインドマップ　Mind Map

まだ形をなしていない発想を、とりあえず地図のように視覚化したもの。連想により言葉を引き出すことで、アイデアを可視化します。この「言葉をたぐり寄せながら、その過程を眺める」という行為が刺激となって、新たなアイデアが誘発されます。だから、一人で着想を整理・発展させるためだけではなく、グループによるブレインストーミングでも用いられます。

考案したのは、イギリスの著述家トニー・ブザン(Tony Buzan: 1942-2019)とされています。創造・記憶・学習を探究領域とした人です。メンタルな領域に留まっている発想を、言葉を連ねながら客観化することでさらなる着想を得る、という手法は、脳科学・心理学の見地からも、人間の脳における意味のネットワークと相似しているとのこと。

想念の視覚化が目標ですから、中心となるキーワードから四方八方に言葉を広げて、大胆に連想を拡張することが大切。言葉の増殖を楽しみながら、アイデアを描いていきます。

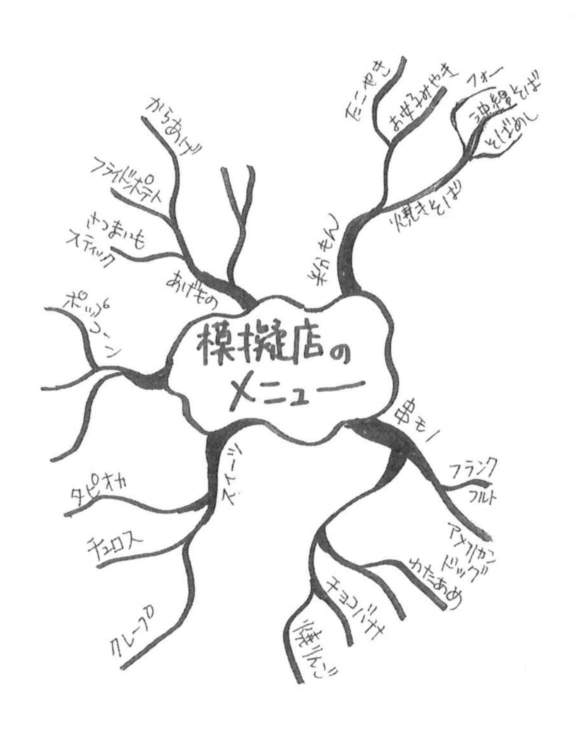

「模擬店メニューといえば？」

模擬店するならどんなメニューがいいだろう？　まずは知っているものを書き出す。定番の「粉もん」、人気の「あげもの」、食べ歩きに便利な「串モノ」、見た目が華やかな「スイーツ」。粉もんといえば「焼きそば」「たこやき」…。

「そば」ならば、「沖縄そば」や「そばめし」もあると思いつく。連想で枝葉はどんどん広がる。

アイデアを増殖させる

マンダラート　*Mandal-Art*

まず、縦３列×横３列で合計９つのマスをつくることから始めます。その中心に考えるべきテーマのキーワードを書き、周囲を関連する情報で埋めていく。すべて書きあげた時点で、マスの一つを他の紙のマス目中央に書き写し、そこからまた連想を広げながらアイデアを増殖させていきます。最終的には 81 マスが埋まります。

アート・ディレクターの今泉浩晃が 1987 年に考案し、「知恵のテクノロジー」と称してひろく普及させた思考のツールです。あたえられた枠組みの中で定型思考を繰り返すうちに、アイデアが抽(ひ)き出(だ)され、増殖していくのが利点。作業ルールを設けることにより、思考の展開が自動化された結果です。

応用としては、マンダラートをマインドマップと合わせて使うと、よりパワフルな思考が展開できます。マインドマップで想念を可視化し、そこで発見したキーワードをマンダラートのマス目に詰め替えていく。そして空いたマスを埋めていくと、最終的に自分の思考要素が一望でき、その眺望(ちょうぼう)がさらなる発見のきっかけとなるのです。

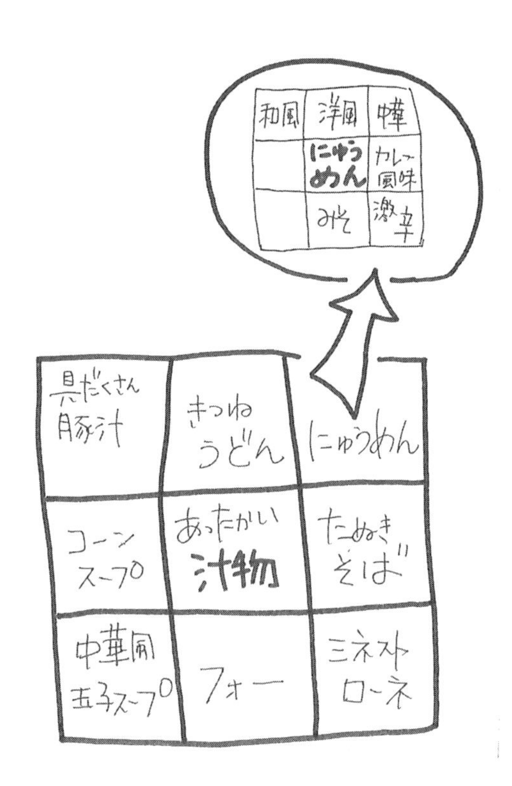

「あったかい汁物アイデア」

汁物にすると決めたら、次は具体的なメニューアイデアを。うどん、そば、豚汁、スープなど、和洋中の汁物をまずは８つ書き出せたなら、そのうちの１つをさらに展開。例えば「にゅうめん」の味を８つ絞り出してみると、こんなアイデアもあるかも、と気がつくことも。

アイデアをグループ化する

KJ法　K J Method

フィールドワークで収集した情報やブレインストーミングで出されたアイデアを発展させる方法です。情報を一つずつカード化し、それらを並べて俯瞰(ふかん)しながら情報相互の関連を探ることで、新たな発見を導き出します。

KJは文化人類学者川喜田二郎(1920-2009)のイニシャル。フィールドワーク後に情報を処理する方法として考案し、自ら「KJ法」と名づけて、チームによる研究活動で実践しました。この一連の情報処理作業は『発想法』(1967年)という自身の著書の刊行によって世に広まり、それ以降、企業や教育機関などにも普及しています。

KJ法では一つのデータを1枚のカードに要約して記述します。1枚には一つのデータだけとし、複数書き込まないことが重要です。次に、できたカードをすべて並べて、類似するものをいくつかのグループにまとめ、それぞれのグループに名前をつけていきます。グループ化したとき、その情報群にどういう名前をつけて括(くく)るか、というところが重要で、作業の過程で情報を括り直すこともあります。そして、グループ相互の関連に注意しながら図解を行い、最後に言葉で叙述します。

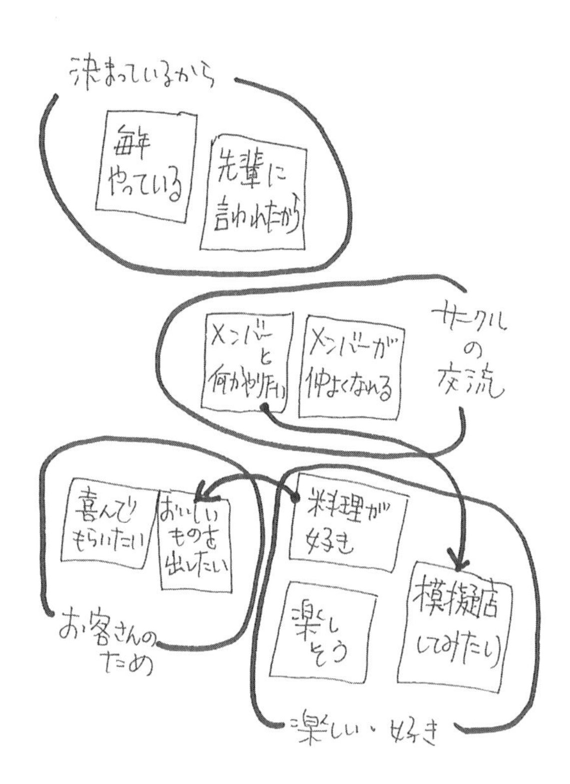

「どうして模擬店を出すのかを考えてみた」

模擬店を出す理由を個別に書き出してから整理してみると、「(やることが)決まっているから」「サークルの交流」「お客さんのため」「楽しい・好き」といったいくつかのカテゴリーに分類できた。「料理が好き」だから「おいしいものを出したい」という意見同士のつながりも見えてくる。

アイデアを整理する

ベン図　Venn Diagram

集合を円で表現することで、その図形を複数重ねながら、それぞれの集合を構成する項目間の関連を検討します。重なり合う情報を視覚的に弁別して表現できるため、直観的な判断が可能となります。

イギリスの数学者ジョン・ベン（John Venn: 1834-1923）の考案とされていますが、同様の図は15世紀後半の文献にも見られるようです。

多くの対象を、その性質・属性によって分けることで思考が整理されるとともに、対象がそれぞれ複数の性質・属性を持っているときに、それらの重なり具合も図示できるところが、長所です。

頭の中でグループ化した情報を円で囲み、集合をつくって重ね合わせる。すると、その重なりのところから、対象のそれまで見えなかった性質が浮かび上がります。発見の面白さが味わえる思考ツールです。

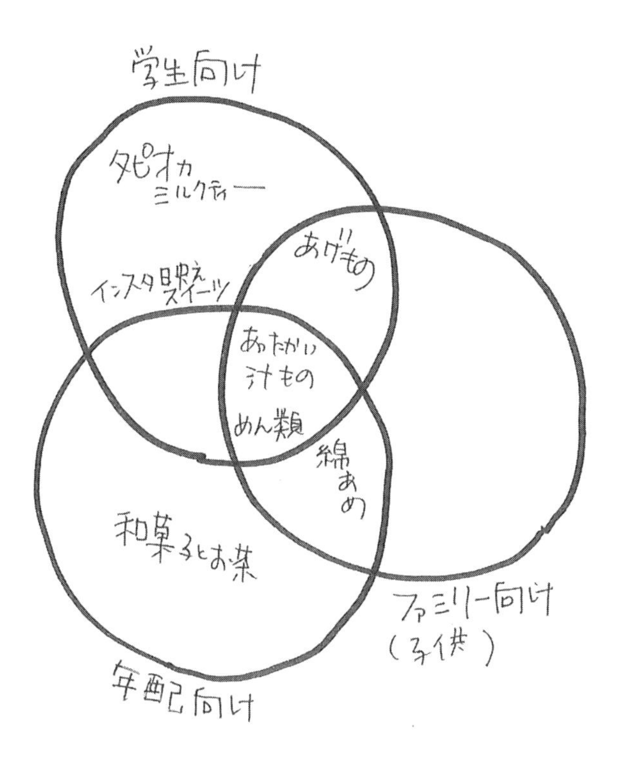

「模擬店メニューをターゲット別に分類」

ターゲットからメニューを考えてみる。学生向けなら「タピオカ」「スイーツ」「あげもの」「汁もの」「めん類」。「あげもの」なら子供連れのファミリーもターゲットになる。そして「汁もの」や「めん類」なら、学生、ファミリー、年配までカバーできる。ターゲットを絞る？それとも広げる？

アイデアを解析する

レーダーチャート　*Radar Chart*

対象を複数の指標で評価し、その結果を視覚化したものです。指標ごとの評価を軸上の目盛りに記入し、それらの点を隣り合うもの同士直線でつなぐと、最終的に指標の数に応じた多角形ができます。それらの形の違いから、対象の性質を直観的に理解することができます。

物体の位置情報をレーダー探索するときの表示画面であるレーダー・スコープとイメージが似ているので、この名前が付けられました。形の連想から「クモの巣グラフ(Spider Chart)」とも呼ばれます。

評価軸は中心から放射状に配置します。評価する指標を決める場合には、それぞれの属性が互いに独立していることが重要です。似たような性質ばかりで軸を立てると、評価が偏るので、事柄の全容が見えにくくなるからです。

対象の数が多くなると、さまざまな形の多角形が重なります。そのままでも区別はつきますが、一つ一つを並べてみると、形の違いが一目瞭然になります。

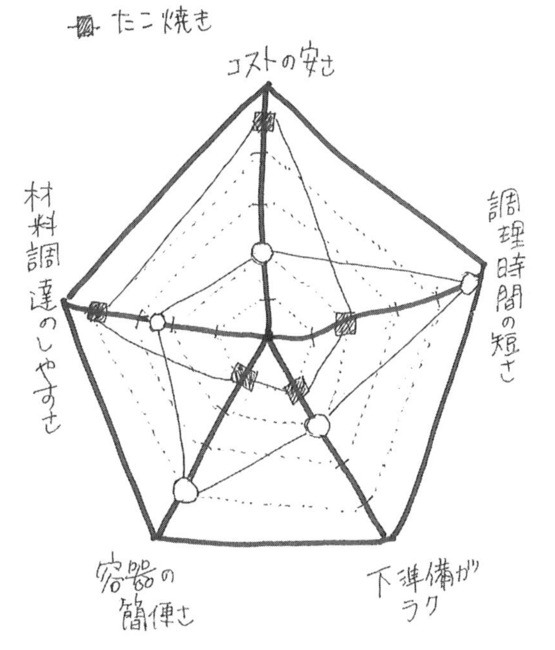

「模擬店メニューを複数の視点で分析」

「たこ焼き」と「チョコバナナ」を5つの指標で評価してみる。チョコバナナは、バナナが意外と高くてコスト評価は低いが、チョコにつけるだけなので調理時間は短くて評価が高い。たこ焼きは材料の調達がしやすくて評価は高いが、容器に入れて売る手間がかかるところは評価が低め。どの指標を重視してメニューを選ぶ？

アイデアを配置する

ポートフォリオ　*Portfolio*

「重要度」「満足度」といった２つの評価軸を直交させて４つのスペース(象限(しょうげん))をつくり、アイデアを配置して分析します。さまざまなアイデアを見比べながら同一の平面で検討できるので、可視性が高くグループワークにも有効です。

アメリカのコンサルティング会社が、経営資源の最適配分のため、1970年代に提唱した「プロダクト・ポートフォリオ・マネジメント(PPM)」に由来する手法です。軸の立て方によって象限の意味が変わり、分析の結果が違ってくるので要注意。

平面を縦横に区切るので、４つのスペースができます。それらの象限は、縦軸と横軸が示す性質によって、４通りの属性を帯びます。その属性の仕切りが見えるので、さまざまな対象を配置することができます。

ところが、配置する段階で時々「どちらの象限に入れたら良いのだろう」という悩みが生じます。思考が動き始めるのは、まさにその瞬間です。

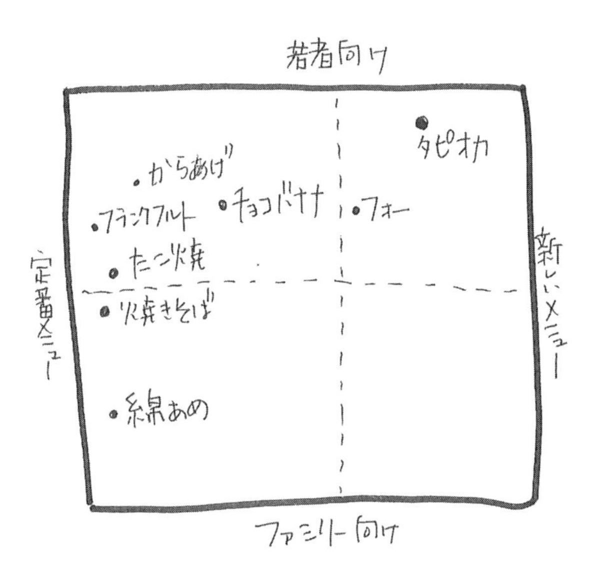

「模擬店メニューの狙いめはどこ？」

メニューを「若者向け／ファミリー向け」と「定番メニュー／新しいメニュー」という２軸で配置して分析してみると、「若者向けの定番メニュー」はたくさんあることがわかる。
他とかぶらないメニューを考えるならば、「ファミリー向けの新しいメニュー」を開発してみるのもありかも。

アイデアを仕分けする

マトリクス *Matrix*

課題の解決に必要な項目を縦横に並べ、マス目をつくってそこに情報を入れていきます。仕分けされることによって情報が整理され、評価や判断が容易になります。既存の情報を配置した後に空白のマス目が残った時、そこを埋めようとする努力によって、思考が進展することもあります。

マトリクスとはラテン語のMater(母)に由来し、「生み出す」という意味を孕(はら)んでいます。数学では線形代数において扱われる数字を縦横に並べた「行列」のことをマトリクスと呼んでいますが、思考のツールとしては、課題解決に必要な複数の検討項目によって縦横に仕切られた枠を言います。

2つのものについてメリットとデメリットを比較検討するためには2×2個のマスが必要になります。「Pros/Cons」表は、横にpros(利点)とcons(欠点)を置き、縦に比較すべき項目を列記したシンプルなマトリクスです。

	たこ焼	からあげ	タピオカティー
材料の調達	スーパー	業務スーパー	インターネット
コスト	機材が高い △	大量なら安価 ○	即席セットは高め △
下準備	たこを切る ○	冷凍保管場所必要 △	氷の保冷どうする？ △
調理	焼き時間 △	解凍だけ ◎	まぜるだけ ○
購買層	大学生 ファミリー 子供	大学生 ファミリー	大学生 中高生

「模擬店メニューを比較検討」

３つの模擬店メニュー、材料を調達するのはどこ？　コストはどのくらい？　下準備の手間や課題は？　複数の項目で仕分けし、評価のバランスを見て判断したり、重要視する項目から考えたり。

タピオカは簡単そうに思えたけどコストと準備には課題あり？

アイデアは「モレなく、ダブりなく」

ミッシー　MECE

論理的な思考にとって曖昧（あいまい）さは禁物です。すべてのアイデア要素同士に重なりがなく、それらが集まって全体を成したときに隙間がない、という状態が望ましい。このことは論理的思考を確実に進めるための心構えであり、大前提です。

MECE（ミッシー：Mutually Exclusive and Collectively Exhaustive）は「互いに重複がなく、全体に漏れがない」というフレーズを略記したもの。日本語の決まり文句としては「モレなく、ダブりなく」と表現されます。

思考の過程をMECE「モレなく、ダブりなく」の状態に整えるためには、さまざまな手法があり、その手法自体が思考ツールとなっています。「ロジック・ツリー」や「6W 1H」も、「モレなく、ダブりなく」を実現するために開発された思考ツールです。

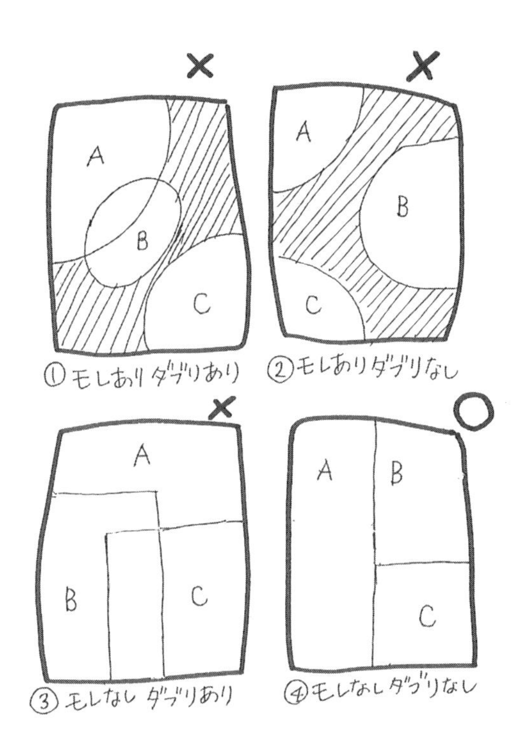

「MECE（ミッシー）の概念図」

①モレありダブりあり：AとBに重複があり、AでもBでもCでもない部分（斜線）がある。

②モレありダブりなし：AでもBでもCでもない部分（斜線）がある。

③モレなしダブりあり：抜けている部分はないが、BとCに重複がある。

④モレなしダブりなし：AとBとCには、重複も抜けている部分もない。

アイデアを秩序立てる

6W1H

人間の一般的な思考のパターンに当てはまるように情報を選択し並べることで、容易にアイデアを秩序立てることができます。時間・空間・対人関係をもとに状況を把握する際に必要なものを列挙したパターンが6W1H〈who(誰が)、whom(誰に)、what(何を)、when(いつ)、where(どこで)、why(なぜ)、how(どのように)〉です。

事件記事のような文章を書く時の一般的な心得とされるのが「5W1H」。これは6W1Hから「whom(誰に)」を除いたものです。論理的思考は、まず状況を把握して皆で共有することから始まります。6W1Hはその状況把握に必要な情報のチェックリストです。

「なにが」「どうして」「どうなった」という情報を提供すると、人間は苦もなくそれらをつないだ“三角形”をつくって状況を理解します。このような思考パターンを拡張して“六角形”としたものが6W1Hです。そして、これはMECEが言う「モレなく、ダブりなく」に向けて思考を整えるための第一歩でもあります。

when
いつ
How
どのように
Where
どこで
6W
1H
What
何を
who
誰が
why
なぜ
whom
誰に

アイデアのつながりをたどる

ロジック・ツリー　Logic Tree

「樹形図」の一種で、樹木の幹から枝が分かれるように、思考が条件によって分岐していく様子を描いたものです。分岐点では何らかの判断を迫られますから、ロジック・ツリーを描いていく過程で、見落としていた検討要素を拾い上げることもできます。

プロジェクトであれば、達成すべき課題をまず書きます。次に、その課題を達成するために必要なことを列挙します。さらにその一つ一つについて実現するのに必要な条件をあげていきます。あらゆる場合を想定して、偏ることなく公平に条件を書き出しながら場合を尽くしていきます。

マインドマップと見かけが少し似ていますが、全く別物です。アイデアをひたすら手繰(たぐ)り出して可視化するのがマインドマップ。それとは異なり、モレやダブりを排除しながら思考要素を系統的に整理したものがロジック・ツリーです。原因や解決法を探るための思考ツールとして活用されます。

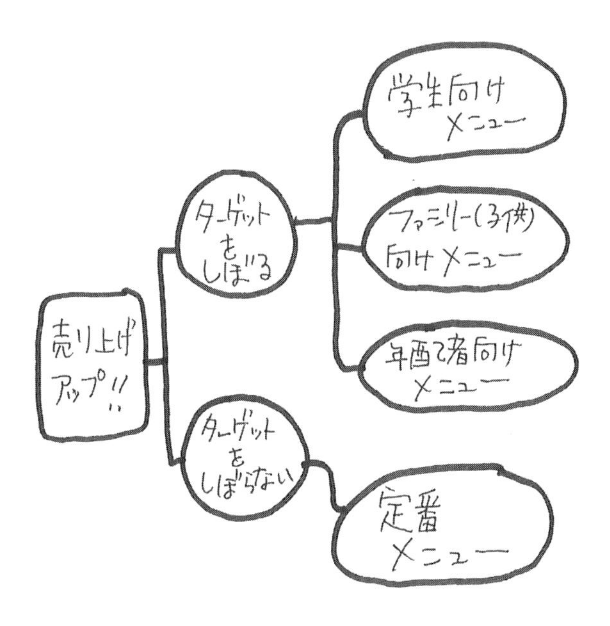

「模擬店での売り上げアップのためには？」

「売り上げアップ」を達成するために「ターゲット」という切り口から考える。
「ターゲットをしぼる」ならば「学生向け」「ファミリー向け」「年配者向け」などが想定できる。「ターゲットをしぼらない」ならば「定番メニュー」で勝負。

アイデアを協働する

ロードマップ　*Road Map*

一つの目的に向かって共同で作業する場合、共通の工程表があると効率的です。そのためのツールがロードマップです。まず、時間軸を横にとり、縦に作業項目を列記します。次に、それぞれの作業項目ごとに、時間軸に沿って課題解決が行われるべき時期と期間を書き込みます。こうして、全員が全工程を俯瞰(ふかん)できるようにします。

ロードマップの詳細なものがガントチャートです。プロジェクトを作業単位で分割し、それぞれの作業の進捗(しんちょく)予定を積み上げて、時系列に展開させたもので、アメリカの機械工学者ヘンリー・ガント(Henry Gantt: 1861-1919)によって考案されました。

ガントチャートでは、縦軸に、作業内容・担当者・開始日・終了日・作業間の関連などを置きます。横軸には日時をとり、作業期間と進捗状況などを記入して、プロジェクト全体を可視化します。各作業の開始と終了の時期、作業の流れ、作業同士の連携の様子、それぞれの進捗状況などが把握しやすく、プロジェクト・メンバー全員での把握が容易になります。

当日・本番!!

	〇月〇日（木）	〇月×日（金）	〇月△日（土）
材料調達（川崎，山本）	買い物　保冷 →		
下準備（田中，山本）		みそを小分け　タッパーで保冷 →	搬入　ねぎを切る
調理（佐々木，田中）			お湯をわかす　めんゆでる →

「にゅうめん販売〜模擬店本番までの流れ」

本番までの３日間の流れを時系列で表にする。

まずは材料調達、そして下準備、本番では調理。下準備にも、みそを分けて保冷して、当日ねぎを切る、といった細かな手順がある。

それぞれの担当者も記入して役割分担しながら進めていく。

アイデア全体を共有する

グラフィックレコーディング　Graphic Recording

話し合いを記録する時、文字だけではなく、図や矢印、イラスト、アイコンなどを織り交ぜて、視覚的記録をつくることができます。グラフィックレコーディング(通称「グラレコ」)と呼ばれるもので、グループワークでは考えの整理やアイデア出し、また参加意識の向上にも役立ちます。

話の流れや、そこに現れた情報とそれらの相互関係、意見の対立、新たな疑問など、議論の全体を可視化できることと、それを一瞬で共有できるのが長所。グループワークの最中にどんどん描いていき、その過程をメンバー全員が眺めながら、新しいキーワードを探し、新たな視点を発見し、アイデアを組み上げていきます。

見栄えを気にして綺麗にまとまったものを作ろうとしないことが大切。はじめは広いスペースに情報や意見を、距離をとって配置しておき、後で新しい発見を書き込んでいきます。"ライブ感"の記録は大切ですが、日時やメンバー、議論のテーマや次回の予定など、事務的な必要事項は忘れずに書きとめておく必要があります。

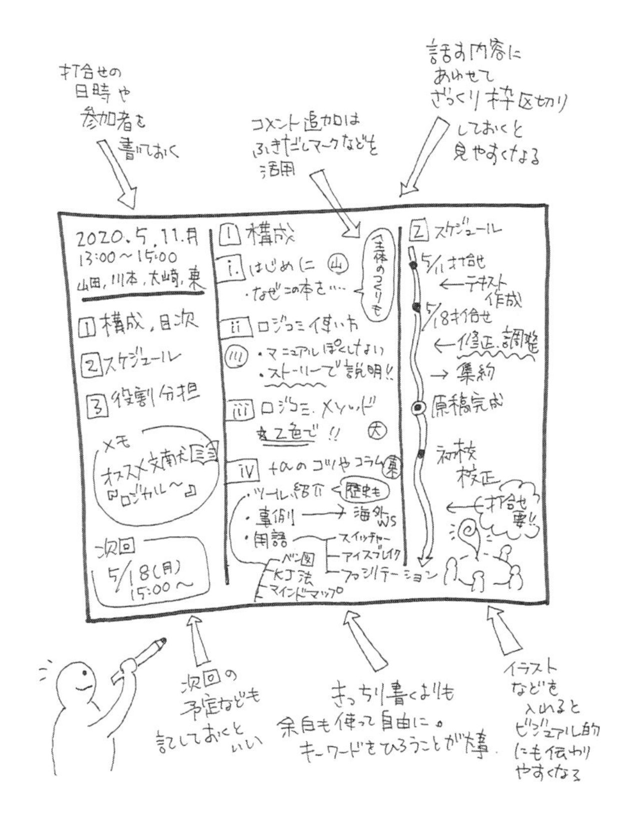

打合せの日時や参加者を書いておく
コメント追加はふきだしマークなどを活用
話す内容にあわせてざっくり枠区切りしておくと見やすくなる
2020.5.11.月
13:00～15:00
山田,川本,大崎,東
1 構成,目次
2 スケジュール
3 役割分担
メモ
オススメ文献
『ロジカル～』
次回
5/18(月)
15:00～
1 構成
i. はじめに 山
・なぜこの本を…
全体のつくりも
ii ロジコミ使い方 川
・マニュアルぽくしない
・ストーリーで説明!!
iii ロジコミ メソッド 大
★2色で!!
iv +αのコツやコラム 東
・ツール紹介
歴史も
・事例 → 海外WS
・用語
スイッチャー
アイスブレイク
ファシリテーション
ベン図
KJ法
マインドマップ
2 スケジュール
5/11打合せ
←テキスト作成
5/18打合せ
←修正,調整
→集約
原稿完成
初校
校正
←打合せ要!!
次回の予定なども記しておくといい
きっちり書くよりも余白も使って自由に。キーワードをひろうことが大事。
イラストなども入れるとビジュアル的にも伝わりやすくなる

ジョハリの窓　Johari Window

「ジョハリの窓」は、自分が見逃している自己への気づきを促すツールです。コミュニケーションの円滑な進め方を模索するためのツールとして、1950年代半ばに提唱されました。発案者である米国の二人の心理学者ジョセフ・ルフト(Joseph Luft)とハリー・インガム(Harry Ingham)の名前をとって「ジョハリの窓」と名づけられています。

まず、縦横の軸を直行させます。縦軸は「他人が知っている／他人が知らない」、横軸は「自分が知っている／自分が知らない」。すると4つの象限ができます。

自分のあり方を確かめるこのような「窓」をつくって、そこから何が見えるかを考えていくと、気づかなかった長所、無意識のクセ、秘めていたコンプレックス、隠していたトラウマ、などが現れてきます。自分の視点だけでなく、他人の視点を入れて考えることにより、普段うっかりして気づかないことがあらわになるからです。

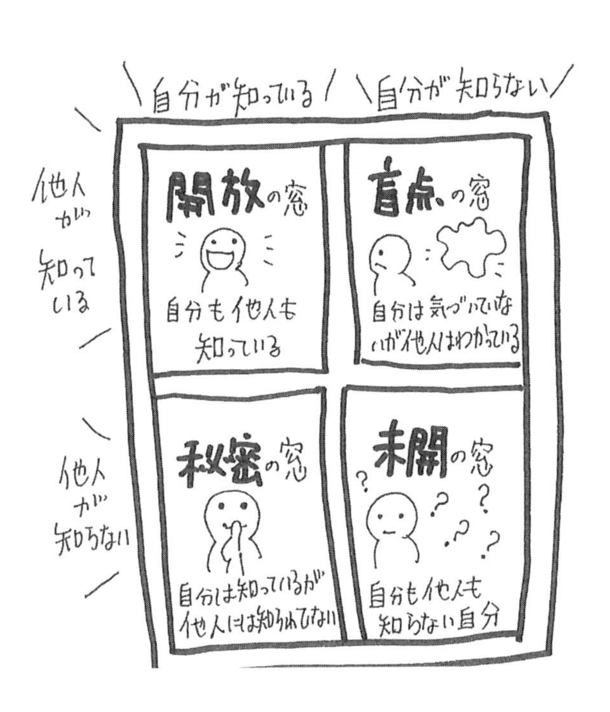
自分が知っている
自分が知らない
他人が知っている
他人が知らない
開放の窓
自分も他人も知っている
盲点の窓
自分は気づいていないが他人はわかっている
秘密の窓
自分は知っているが他人には知られてない
未開の窓
自分も他人も知らない自分

参考文献(50音順)

『アイスブレイクベスト50』青木将幸(ほんの森出版/2013年)
『アクティブ・ホープ』ジョアンナ・メイシー、クリス・ジョンストン著、三木直子訳(春秋社/2015年)
『アクティブラーニング入門――アクティブラーニングが授業と生徒を変える』小林昭文(産業能率大学出版部/2015年)
『アクティブラーニングを創るまなびのコミュニティ』池田輝政・松本浩司編(ナカニシヤ出版/2016年)
『新しい学力』齋藤孝(岩波新書/2016年)
『アフガニスタンの診療所から』中村哲(筑摩書房/1993年)
『英国シューマッハー校サティシュ先生の最高の人生をつくる授業』辻信一(講談社/2013)
『AI vs. 教科書が読めない子どもたち』新井紀子(東洋経済新報社/2018年)
『格差をなくせば子どもの学力は伸びる』福田誠治(亜紀書房/2007年)
『学習設計マニュアル』鈴木克明・美馬のゆり編著(北大路書房/2018年)
『課題解決型授業への挑戦』後藤文彦監修、伊吹勇亮・木原麻子編著(ナカニシヤ出版/2017年)
『感じるままに生きなさい――山伏の流儀』星野文紘(さくら舎/2017年)
『競争やめたら学力世界一』福田誠治(朝日新聞社/2006年)
『グループワーク その達人への道』三浦真琴 (医学書院/2018年)
『考具』加藤昌治(CCCメディアハウス/2003年)
『思考を鍛える大学の学び入門』井下千以子(慶應義塾大学出版会/2017年)

『思考を鍛えるレポート・論文作成法』井下千以子(慶應義塾大学出版会／2013年)
『システム×デザイン思考で世界を変える』前野隆司編著(日経BP社／2014年)
『失敗事例から学ぶ大学でのアクティブラーニング』亀倉正彦(東信堂／2016年)
『主体性育成の観点からアクティブ・ラーニングを考え直す』後藤文彦(ナカニシヤ出版／2018年)
『食育菜園 エディブル・スクールヤード――マーティン・ルーサー・キング Jr.中学校の挑戦』センター・フォー・エコリテラシー(家の光協会／2006年)
『進化する初年次教育』初年次教育学会編(世界思想社／2018年)
『数学力は国語力』齋藤孝(集英社／2010年)
『図解 フィンランド・メソッド入門』北川達夫、フィンランド・メソッド普及会(経済界／2005年)
『成熟社会――新しい文明の選択』デニス・ガボール著、林雄二郎訳(講談社／1973年)
『対話のレッスン』平田オリザ (小学館／2001年)
『知の体力』永田和宏(新潮新書／2018年)
『伝えるための教科書』川井龍介(岩波ジュニア新書／2015年)
『東大物理学者が教える「伝える力」の鍛え方』上田正仁(PHP文庫／2018年)
『発想法』川喜田二郎(中公新書／1967年)
『学び合う場のつくり方』中野民夫(岩波書店／2017年)
『ロジカル・シンキング』照屋華子・岡田恵子(東洋経済新報社／2001年)
『ワークショップ』中野民夫(岩波新書／2001年)

【本書執筆者紹介】

追手門学院大学 成熟社会研究所
Team-LCM（ロジコミ・メソッドプロジェクトチーム）

所長　佐藤友美子
　　地域創造学部教授（はじめに、1章、3章）

所員　齊藤一誠
　　国際教養学部教授（3章、5章2）

所員　村上　亨
　　経済学部教授（3章、5章1）

所員　今堀洋子
　　地域創造学部准教授（3章、4章）

所員　中川啓子
　　学長室職員（2章、3章、イラスト、カバーデザイン）

追手門学院大学 成熟社会研究所
成熟社会研究所は「独立自彊・社会有為」を教育理念とする追手門学院に「人が多様な価値観を受容し、みずからの生き方を選択、自立した個人として共に成長する社会」の実現を目指し2014年設立。若者の自立と社会環境に関わる実践的調査・研究を行う。またプロフェッショナルの話から個の営みを紐解く「シェアラボ」、地域と連動した学生プロジェクトの支援など、若者を応援する活動を行っている。

〒567-8502　大阪府茨木市西安威2－1－15
Tel: 072-665-5068
E-mail seijuku@otemon.ac.jp

一人で思う、二人で語る、みんなで考える
――実践！ ロジコミ・メソッド　　岩波ジュニア新書 921

2020年7月17日　第1刷発行

編　者　追手門学院大学 成熟社会研究所(おうてもんがくいんだいがく せいじゅくしゃかいけんきゅうしょ)

発行者　岡本 厚

発行所　株式会社 岩波書店
〒101-8002 東京都千代田区一ツ橋 2-5-5
案内 03-5210-4000　営業部 03-5210-4111
ジュニア新書編集部 03-5210-4065
https://www.iwanami.co.jp/

組版　シーズ・プランニング
印刷・理想社　カバー・精興社　製本・中永製本

ISBN 978-4-00-500921-3　　Printed in Japan

岩波ジュニア新書の発足に際して

きみたち若い世代は人生の出発点に立っています。きみたちの未来は大きな可能性に満ち、陽春の日のようにひかり輝いています。勉学に体力づくりに、明るくはつらつとした日々を送っていることでしょう。

しかしながら、現代の社会は、また、さまざまな矛盾をはらんでいます。営々として築かれた人類の歴史のなかで、幾千億の先達たちの英知と努力によって、未知が究明され、人類の進歩がもたらされ、大きく文化として蓄積されてきました。にもかかわらず現代は、核戦争による人類絶滅の危機、貧富の差をはじめとするさまざまな人間的不平等、社会と科学の発展が一方においてもたらした環境の破壊、エネルギーや食糧問題の不安等々、来るべき二十一世紀を前にして、解決を迫られているたくさんの大きな課題がひしめいています。現実の世界はきわめて厳しく、人類の平和と発展のためには、きみたちの新しい英知と真摯な努力が切実に必要とされています。

きみたちの前途には、こうした人類の明日の運命が託されています。ですから、たとえば現在の学校で生じているささいな「学力」の差、あるいは家庭環境などによる条件の違いにとらわれて、自分の将来を見限ったりはしないでほしいと思います。個々人の能力とか才能は、いつどこで開花するか計り知れないものがありますし、努力と鍛練の積み重ねの上にこそ切り開かれるものですから、簡単に可能性を放棄したり、容易に「現実」と妥協したりすることのないようにと願っています。

わたしたちは、これから人生を歩むきみたちが、生きることのほんとうの意味を問い、大きく明日をひらくことを心から期待して、ここに新たに岩波ジュニア新書を創刊します。現実に立ち向かうために必要とする知性、豊かな感性と想像力を、きみたちが自らのなかに育てるのに役立ててもらえるよう、すぐれた執筆者による適切な話題を、豊富な写真や挿絵とともに書き下ろしで提供します。若い世代の良き話し相手として、このシリーズを注目してください。わたしたちもまた、きみたちの明日に刮目しています。（一九七九年六月）

882 40億年、いのちの旅　伊藤明夫
40億年に及ぶとされる、生命の歴史。それをひもときながら、私たちの来た道と、これから行く道を、探ってみましょう。

883 生きづらい明治社会 ―不安と競争の時代　松沢裕作
近代化への道を歩み始めた明治とは、人々にとってどんな時代だったのか？ 不安と競争をキーワードに明治社会を読み解く。

884 居場所がほしい ―不登校生だったボクの今　浅見直輝
中学時代に不登校を経験した著者。マイナスに語られがちな「不登校」を人生のチャンスととらえ、当事者とともに今を生きる。

885 香りと歴史 7つの物語　渡辺昌宏
玄宗皇帝が涙した楊貴妃の香り、織田信長が切望した蘭奢待など、歴史を動かした香りをめぐる物語を紹介します。

886 〈超・多国籍学校〉は今日もにぎやか！ ―多文化共生って何だろう　菊池 聡
外国につながる子どもたちが多く通う公立小学校。長く国際教室を担当した著者が語る、これからの多文化共生のあり方。

889 めんそーれ！ 化学 ―おばあと学んだ理科授業　盛口 満
料理や石けんづくりで、化学を楽しもう。戦争で学校へ行けなかったおばあたちが学ぶ教室へ、めんそーれ（いらっしゃい）！

888・887 数学と恋に落ちて
未知数に親しむ篇
方程式を極める篇
ダニカ・マッケラー
菅野仁子訳

将来、どんな道に進むにせよ、数学はあなたに力と自由を与えます。数学を研究し、女優としても活躍したダニカ先生があなたの夢をサポートする数学入門書の第二弾。式の変形や関数のグラフなど、方程式でつまずきやすいところを一気におさらい。

890 情熱でたどるスペイン史
池上俊一

長い年月をイスラームとキリスト教が影響しあって生まれた、ヨーロッパの「異郷」。衝突と融和の歴史とは？（カラー口絵8頁）

891 不便益のススメ
―新しいデザインを求めて
川上浩司

効率化や自動化の真逆にある「不便益」という新しい思想・指針を、具体的なデザイン、モノ・コトを通して紹介する。

892 ものがたり西洋音楽史
近藤　譲

中世から20世紀のモダニズムまで、作曲家や作品、演奏法や作曲法、音楽についての考え方の変遷をたどる。

893 「空気」を読んでも従わない
―生き苦しさからラクになる
鴻上尚史

どうしてこんなに周りの視線が気になるの？どうして「空気」を読まないといけないの？その生き苦しさの正体について書きました。

894 内戦の地に生きる
―フォトグラファーが見た「いのち」
橋本 昇
母の胸を無心に吸う赤ん坊、自爆攻撃した息子の遺影を抱える父親…。戦場を撮り続けた写真家が生きることの意味を問う。

895 ひとりで、考える
―哲学する習慣を
小島俊明
主体的な学び、探求的学びが重視されているなか、フランスの事例を紹介しながら「考える」について論じます。

896 「カルト」はすぐ隣に
―オウムに引き寄せられた若者たち
江川紹子
オウムを長年取材してきた著者が、若い世代に向けて事実を伝えつつ、カルト集団に人生を奪われない生き方を説く。

897 答えは本の中に隠れている
岩波ジュニア新書編集部編
悩みや迷いが尽きない10代。そんな彼らに、個性豊かな12人が、希望や生きる上でのヒントが満載の答えを本を通してアドバイス。

898 ポジティブになれる英語名言101
小池直己
佐藤誠司
プラス思考の名言やことわざで基礎的な文法を学ぶ英語入門。日常の中で使える慣用表現やイディオムが自然に身につく名言集。

899 クマムシ調査隊、南極を行く!
鈴木 忠
白夜の夏、生物学者が見た南極の自然とは? 笑いあり、涙あり、観測隊の日常がオモシロい!〈図版多数・カラー口絵8頁〉

906 レギュラーになれないきみへ 元永知宏

スター選手の陰にいる「補欠」選手たち。果たして彼らの思いとは? 控え選手たちの姿を通して「補欠の力」を探ります。

907 俳句を楽しむ 佐藤郁良

句の鑑賞方法から句会の進め方まで、季語や文法の説明を挟み、ていねいに解説。句作の楽しさ・味わい方を伝える一冊。

908 発達障害 思春期からのライフスキル 平岩幹男

「今のうまくいかない状況」をどうすれば「何とかなる状況」に変えられるのか。専門家がそのトレーニング法をアドバイス。

909 ものがたり日本音楽史 徳丸吉彦

縄文の素朴な楽器から、雅楽・能楽・歌舞伎・文楽、現代邦楽…日本音楽と日本史の流れがわかる、コンパクトで濃厚な一冊!

910 ボランティアをやりたい! ―高校生ボランティア・アワードに集まれ さだまさし 風に立つライオン基金 編

「誰かの役に立ちたい!」 各地でボランティアを行っている高校生たちのアイディアに満ちた力強い活動を紹介します。

911 オリンピック・パラリンピックを学ぶ 後藤光将編著

オリンピックが「平和の祭典」と言われるのはなぜ? オリンピック・パラリンピックの基礎知識。

912 新・大学でなにを学ぶか
上田紀行 編著
大学では何をどのように学ぶのか？ 池上彰氏をはじめリベラルアーツ教育に携わる気鋭の大学教員たちからのメッセージ。

913 統計学をめぐる散歩道
―ツキは続く？ 続かない？
石黒真木夫
天気予報や選挙の当選確率、くじの当たり外れやじゃんけんの勝敗などから、統計のしくみをのぞいてみよう。

914 読解力を身につける
村上慎一
評論文、実用的な文章、資料やグラフ、文学的な文章の読み方を解説。名著『なぜ国語を学ぶのか』の著者による国語入門。

915 きみのまちに未来はあるか？
―「根っこ」から地域をつくる
除本理史
佐無田光
地域の宝物＝「根っこ」と自覚した住民によるまちづくりが活発化している。各地の事例から、未来へ続く地域の在り方を提案。

916 博士の愛したジミな昆虫
金子修治
鈴木紀之 編著
安田弘法
SFみたいなびっくり生態、生物たちの複雑怪奇なからみ合い。その謎を解いていくワクワクを、昆虫博士たちが熱く語る！

917 有権者って誰？
藪野祐三
あなたはどのタイプの有権者ですか？ 社会に参加するツールとしての選挙のしくみや意義をわかりやすく解説します。